2018 '작가'가 선정한

오늘의 영화

작가

〈아이 캔 스피크〉와 〈덩케르크〉, 열세 번째 '오늘의 영화' 최고작 선정

— '오늘의 영화'의 어떤 정신에 부합되는 결과…
　다른 선정작 18편들도 오늘의 영화로 손색없어

　　〈아이 캔 스피크〉(김현석 감독)와 〈덩케르크〉(크리스토퍼 놀란)가 『2018 '작가'가 선정한 오늘의 영화』 최고 한국 영화와 외국 영화로 최종 선택됐다. "아픈 과거를 침묵 속에 묻어 두었던 한 여성이 청문회에서 위안부로 당했던 아픈 과거를 당당하게 고백하기까지 벌어지는 변화를 웃음과 눈물 속에 풀어내 보"임으로써, "일본군 위안부 문제가 뜨거운 감자처럼 작동하는 콘텍스트 속에서" 강렬한 파장을 일으키며 새삼 "침묵 깨기와 연대의 힘"의 소중함을 웅변한 "좋은 영화"(유지나). 그리고 "1940년 5월 26일부터 6월 4일까지 프랑스 북부 덩케르크 해변에서, 도버해협과 독일군 사이에 고립되어 발이 묶인 33만 여명의 연합군이 영국으로 귀환한 역사적 사실"을 여느 "전쟁영화의 장르적 관습을 위반하고, 다른 관점에서 전쟁에 접근"함으로써 "결과적으로 관객들로 하여금 다른 방식으로 전쟁영화를 소비하게"하며, 더 나아가 "아이맥스 카메라와 대사의 절제" 등을 통해 "영화의 본질을 체현體現하는 영화"(이채원).

　　2018 제90회 아카데미시상식에서 (상대적으로 덜 주요시되는) 편집상과 음향상, 음향편집상을 수상한 〈덩케르크〉가 2017 아카데미에서 작품상, 각색상, 남우조연상 등을 거머쥔 〈문라이트〉(배리 젠킨스)나 각본상, 남우

주연상을 안은 〈맨체스터 바이 더 씨〉(케네스 로너건) 등 '작은 걸작'을 제치고, 그것도 압도적 우세로, 외국 영화 부문 최우수 영예를 차지했다는 것은 어느 모로는 의외인 감이 없지 않다. 허나 감독 크리스토퍼 놀란을 향한 대한민국 영화식자들의 각별한 팬덤이나, 〈태극기 휘날리며〉(강제규)나 〈고지전〉(장훈) 등의 예외를 제외하고는 〈덩케르크〉 같은 특별한 수작 전쟁영화와 조우한 적이 별로 없었다는 이 땅의 영화 현실 등을 감안하면 당연한 결과로 다가서기도 한다. 따라서 그 영예가 〈덩케르크〉라는 특정 텍스트를 넘어 감독과 해당 장르에 수여된 것으로 해석된다 한들 무리는 아닐 성싶다.

그에 반해 〈아이 캔 스피크〉의 영예는 적잖이 의외로 다가선다. 2017 제37회 한국영화평론가협회상(영평상) 여우주연상을 비롯해 주로 나문희 선생이 연기상을 휩쓸고, 더러는 김현석 감독이 감독상(청룡상)을 받은 적은 있어도, 최우수작품상을 안은 적은 없기 때문이다. 본 기획위원과의 대담에서 감독도 인정했듯, 〈아이 캔 스피크〉의 소위 영화적 완성도는 적잖이 아쉽다. 감독부터도 완성도 면에서 "약간 역부족인 듯한 결함이 있"다지 않은가. 종합 포털 다음의 영화 편 전문가 평점에서도 영화는, 김현석 감독이 "사실 거의 완벽한 영화"이며, "정말 만장일치의 영화라고 생각"한다는 〈1987〉(장준환)의 7.9점(10점 만점)과, "감독으로서 정말 부"럽고, "김윤석 선배가 감독으로서 하고 싶은 걸 다했구나 하는 생각이" 든다는 〈남한산성〉(황동혁)의 7.6점에 이어 7.2점으로, 2018 오늘의 한국 영화 10선 중 3위에 자리하고 있다. 아니나 다를까, 영화는 6.1점의 〈택시운전사〉(장훈) 포함 다른 세 편과 최후의 영광을 위해 막판까지 경쟁을 벌여야 했다.

사실 상기 4편 가운데 그 누가 최후의 승자가 된다 한들 나름의 수긍에 값할 만했다. 당장 득표수에서 막상막하였다. 만약 득표로만 결정했더라면, 다른 영화가 선정될 수도 있었을 터. 유지나, 손정순, 전찬일로 구성된 3인

기획위원들은 과연 어느 영화가 '오늘의 영화'라는 취지에 가장 부합할 수 있을지 열띤 토론을 펼쳤다. 그것은 영화적 완성도를 뛰어넘는, 더 크고 깊으며 더 유의미한 어떤 영화 정신 내지 시대성을 담보하고 있어야 했다. 그 관점에서도 어느 영화가 선택되더라도 무방했다. 결국 기획위원들은 소재·주제의 의미도 그렇거니와, 이야기를 끌어가는 방식이나 캐릭터 묘사 등에서 조금이라도 더 성숙하고 설득력 있다고 여겨지는 〈아이 캔 스피크〉로 결정했다. 문득 유지나 위원의 평문 도입부가 눈길을 잡아끈다. "'어떤 영화가 좋은 영화인가요?' 이런 질문을 받을 때가 종종 있다. 그럴 때면, 영화텍스트가 이 세상이란 콘텍스트 속에서 내 삶에 어떤 작용을 하는지 자문해보곤 한다. 〈아이 캔 스피크〉를 거듭 보면서 좋은 영화에 대한 감각적 경험을 새삼 하게 된다. 시차를 두고 다시 볼 때 더욱 흥미진진하게 즐길 수 있는 요소들을 가진 작품이 좋은 영화라는 깨우침이 그것이다."

개인적 선호를 떠나, 지금 이 순간 〈아이 캔 스피크〉는 최선의 선택이 아니었나, 싶다. 감독과의 대담도 그런 감상을 뒷받침해준다. 으레 그렇듯 그간의 감독과의 대화들은 인터뷰인 필자에게 기대치 않은 아주 특별한 배움과 깨우침을 선사해왔는데, 이번에도 마찬가지였다. "평론적으로 천시 받는 경향이 있어도, 로맨틱 코미디가 좋"다는, 어느 모로는 '가벼운' 감독이 그 장르를 그다지 좋아하지 않는 '진지한' 평론가에게 그토록 "특별한 배움과 깨우침을 선사"하다니 대담 또한 〈아이 캔 스피크〉 같은 반전의 묘미를 안겨주는 게 아닌가.

〈아이 캔 스피크〉와 〈덩케르크〉 외에 다른 18편의 선정작들도 주목에 값한다. 예외 없이 '오늘의 영화들'로 손색없다. 안타깝게 비—선택된 영화들 중에도 그런 예들이 있음은 두 말할 나위 없다. 한국 영화로는 〈그 후〉로 인해 부득이 밀릴 수밖에 없었을 홍상수 감독의 〈밤의 해변에서 혼자〉와 〈재심〉(김태윤) 등이, 외국 영화로는 비록 무관에 그쳤으나 2016 칸영화제에서 가장 큰 주목을 끌었던 독일 마렌 아데 감독의 〈토니 에드만〉, 2017 베를린 영화제 황금곰상 수상 등에 빛나는 헝가리 일디코 엔예디 감독의 〈우리는 같은 꿈을 꾼다〉, 2018 아카데미 각본상 수상으로 깜짝 반전을 일으켰던 미국 조던 필레 감독의 〈겟 아웃〉 등이 그들이다.

한국 영화로 한정할 경우, 재미삼아 10편의 오늘의 영화들과 영평 10선을 비교해보길 권한다.

〈남한산성〉에 작품상을 비롯해 감독상, 촬영상, 음악상까지 4관왕을 안긴 영평 10선에는 대한민국을 대표(?)한다는 평론가 조직의 선택이라고는 도저히 믿기지 않는 영화들이 그 안에 포함돼 있었다. 〈범죄도시〉(강윤성)와 〈청년경찰〉(김주환)이 그들이다. 〈청년경찰〉의 박서준이 신인남우상을 받은 것이야 연기상이니 그렇다손 쳐도, 그들은 한술 더 떠 〈범죄도시〉에 신인감독상을 안겼다. 인기상 투표도 아니고 아마추어적 안목이라 하지 않을 수 없을 듯. 반면 영화 전문가들 외에 문학 등 영화를 넘어 다양한 문화 분야 전문가들이 두루 참여한 오늘의 영화 10선에는 그들 대신 〈노무현입니다〉(이창재)와 〈꿈의 제인〉(조현훈) 등 문제적 저예산 독립영화들이 자리하고 있다. 그 얼마나 아이러니한, 주목할 만한 전문(가)적 식견인가.

선정의 다채로움만큼 스무 개의 리뷰들도 다채롭다. 그 어느 해 못잖게, 아니 그 이상으로 그 외연과 내포가 넓고 깊다. 꼼꼼한 일독을 권하련다. 바쁜 와중에 대담을 해준 김현석 감독, 스무 명의 필자, 선정에 참여해준 분들, 그리고 또 한 권의 오늘의 영화를 발행하는 도서출판 작가 등 모든 분들께 고마움을 전한다.

2018년
기획위원을 대표해 **전찬일**

contents

contents

아이 캔 스피크
≷ 김현석 감독

한국
영화

군함도
≷ 류승완 감독

꿈의 제인
》》 조현훈 감독

그 후
≷ 홍상수 감독

남한산성
《《 황동혁 감독

노무현입니다
≋ 이창재 감독

한국
영화

박열
≋ 이준익 감독

불한당:
나쁜 놈들의 세상
⫶⫶ 변성현 감독

1987
≋ 장준환 감독

택시운전사
⟫⟫ 장훈 감독

김현석 감독

아이 캔 스피크

감독/ 김현석
출연/ 나문희, 이제훈, 박철민,
염혜란, 이상희, 이지훈
각본/ 유승희
제작/ 이하영
기획/ 강지연
촬영/ 조왕섭
제작/ 영화사시선, 명필름

육성만으로 청중을 사로잡는 진정성의 힘
이전 위안부 관련 영화와 차별화 된다.
비극을 희망으로 만드는 할매가 던지는 용기
우리도 〈인생은 아름다워〉가 가능하다.
〈귀향〉과는 또 다른 차원에서 '위안부 이슈'를 설득력 있게 구현.
'아름다운 연대'가 무엇인지를 보여준다.
말 못하는 피해자가 아니라 인권운동가로서 거듭나는 강한 생존자
개인과 역사 그리고 코미디
한국 영화 시나리오가 가야 할 방향
한국 대중영화의 놀라운 성공!
이제는 당당하게 말할 수 있다.

— 추천위원의 선정이유 中

침묵 깨기와 연대의 힘

— **김현석** 감독 〈아이 캔 스피크〉

유지나

"어떤 영화가 좋은 영화인가요?" 이런 질문을 받을 때가 종종 있다. 그럴 때면, 영화텍스트가 이 세상이란 콘텍스트 속에서 내 삶에 어떤 작용을 하는지 자문해보곤 한다. 〈아이 캔 스피크〉를 거듭 보면서 새삼 좋은 영화에 대한 감각적 경험을 하게 된다. 시차를 두고 다시 볼 때 더욱 흥미진진하게 즐길 수 있는 요소들을 가진 작품이 좋은 영화라는 깨우침이 그것이다.

일본군 위안부 문제가 뜨거운 감자처럼 작동하는 콘텍스트 속에서 이 영화 텍스트가 일으키는 파장은 강렬하다. 이 작품을 다시 보면, 처음 볼 때 인식하지 못했던 이미지 기호들이 예시적 의미화 기능을 발휘한다는 점을 발견하는 재미가 있다. 이를테면 돈독 오른 개발업자, 그에 부응하는 구청장의 태도, 막판에 등장하는 위안부 문제를 위로금으로 무마하려는 일본측 태도는 자본 코드로 이어진다. 현상 유지와 승진에 몰두하는 공무원 코드

읽기도 흥미로운 대목이다. 그런 맥락을 짚어가며 서사 흐름을 따라가 보기로 하자.

　이 작품은 아픈 과거를 침묵 속에 묻어 두었던 한 여성이 청문회에서 위안부로 당했던 아픈 과거를 당당하게 고백하기까지 벌어지는 변화를 웃음과 눈물 속에 풀어내 보인다. 도입부에서 옥분(나문희)은 재개발 위험에 처한 재래시장에서 옷 수선을 하며 20여 년간 8천 여건 민원을 구청에 넣는 '도깨비 할매'로 코믹하게 설정된다. 옥분이 검은 우비를 입은 뒷모습으로 비 오는 날 구청에 등장하자, 업무 상황이 급변한다. 한가롭게 업무 시작 시간을 즐기던 직원들이 갑자기 숨거나 중요한 전화를 받는 척 한다. 비 오는 날이면 황산을 퍼붓는 남자 사진을 들이대며 따지는 그에게 양 팀장(박철민)은 "비 오는 수요일엔 빨간 장미를…"이란 노래를 인용하며 너스레를 떨기

도 한다.

바로 그날, 첫 출근을 한 9급 공무원 민재(이제훈)는 처음부터 옥분과 대립 관계로 설정된다. 번호표를 한 번도 뽑아 본 적이 없는 옥분에게 민재는 모든 것을 절차에 따라 해야 한다는 원칙주의자다운 태도로 맞대응한다. 이후 이 둘의 관계는 삐걱대며 부딪치지만 강한 연대를 보여주는 역동적 관계로 드라마틱하게 전개된다.

재개발업자 일당과 재래시장 상인들의 대립 사이에 끼인 구청장과 구청 직원들은 (그들 대사처럼) '공무원스럽게' 행동한다. 그러나 원칙주의자답게 민재는 절차대로 행정소송을 제안하여 구청장의 명예욕을 자극하기도 한다. 이 절차는 결국 재래시장을 지키는 방향으로 풀려 나간다. 심지어 민재의 지혜로 구청장의 명예욕을 자극해 옥분의 신분을 보장하는 서명 작업으로까지 유도하는 이례적 상황이 벌어지기도 한다. "공무원 신조 몰라? 나대지 말자! 복지부동!"이라고 외치는 상사의 경고에도 불구하고, 민재는 여느 공무원과 다른 자신의 원칙을 수행하는 캐릭터 발전을 보여준다.

민재와 옥분의 관계는 수차례 갈등을 겪지만 결국 더 깊은 소통으로 이어지는 반전이 거듭 발생한다. 첫 번째 갈등은 영어 과외 건이다. 우연히 영어학원에서 민재의 뛰어난 영어 실력을 목격한 옥분은 영어 과외를 해달라고 조른다. 민원처리보다 더 골치 아프게 매달리는 옥분에게 민재는 어려운 시험으로 그 요청을 거절한다. 옥분이 못 맞춘 '탄핵', '좌절', '음모'는 초보자에겐 너무 난해한 영어 단어이다. 그와 동시에 이 단어들은 이후 전개되는 서사의 흐름과 옥분의 심정을 대변하는 의미심장한 기호이기도 하다!

시장 뒷골목으로 가는 동생 영재(성유빈)를 몰래 따라간 민재가 옥분의 된장찌개 곁들인 밥상에 초대받은 동생의 모습을 발견하면서 이 둘의 관계는 반전된다. 잘못 보관해 녹아 터진 냉동 만두국을 해 먹으며 동생 보호자 노릇을 해온 그에게 옥분은 따스한 보호자로서할머니와 같은 존재로 다가온다. "생라면 뿌셔 먹는 애기가 안 돼 보여 밥 먹으러 오라"고 초대한 옥분은 "나도 혼자 먹으면 적적하니까"라고 해명한다. 밥상 코드로 감동받은 민재는 자청해서 영어 선생이 된다. "할머니가 왜 시장에서 오지랖 떠는 줄 알아? 외로워서 그래."라는 영재의 말은 어머니의 죽음을 숨겼던 아버지의 비밀을 간직한 채 외로운 보호자가 된 민재의 비밀스러운 내면을 (영어로) 고백하게 만들기도 한다. 민재 형제는 한가위 명절날 제례주를 들고 옥분의 집에 방문한다. 텅 빈 시장 뒷골목 살림집에서 홀로 라면을 끓여 먹던 옥분은 이들의 방문을 반기며 호박전과 생선전을 부쳐 먹는 대안 가족 관계로 발전해 나간다.

그러나 또 다른 갈등 상황이 벌어진다. 어려서 헤어진 LA에 사는 동생이 한국말을 못해 그와 소통하려고 영어를 배운다는 옥분의 설명은 민재가 바로 그 LA 동생과 통화한 후에 거짓말로 들통나기도 한다. 게다가 미성년자 음주로 영재가 시장에서 잡혀가자, 옥분이 신고했을 것으로 오해한다. 곤경에 처한 옥분에겐 더 큰 불상사가 발생한다. 둘도 없이 소중한 위안부 시절의 친구 정심이 치매증 초기로 입원한 병원에 다니느라 시장을 비우게 된다. 동시에 발생한 이런 불상사들은 구청 계단에 잘못 붙인 화살표 기호로 그 전조를 예고한다. 계단을 걸어서 오르면 건강에 도움이 된다는 홍보용으로 구청 직원들이 계단에 '↑'라고 붙여야 하는 스티커를 '↓'로 잘못 붙였는데, 그것은 마치 추락하는 관계와 파국으로 치닫는 서사 방향을 보여주는 기호 작용이기도 하다.

그러나 대단원을 위한 반전이 발생한다. 코믹하게 펼쳐졌던 옥분의 영어 공부는 이제 미국 하원의회 청문회에서 "아이 캔 스피크"라 외치며 상처를 토로하는 도구로 사용될 것이다. 위안부 증언을 못할 정도로 치매가 진전된 정심과의 조우, 유언같은 정심의 부탁이 담긴 편지는 옥분의 변화에 불을 지른다. 전복적 결단을 내린 옥분이 어머니 산소에 찾아가 오열하는 명장면이 펼쳐진다. "엄마! 나한테 그때 왜 그랬어유! 왜? 엄마! 나한테 '욕봤다' 한마디만 해줬으면 됐는데…" 가족이 가장 가까운 관계인데도, 억울하게 당한 아픔을 침묵 속에 묻어두는 이상한 한국적 가족관이 폭로되는 순간이다. 이 장면은 극장에서 볼 때도 그랬지만, 다시 보더라도 울컥하게 만드는 정서적 효과를 발휘한다.

절정을 이루는 시퀀스는 (실화에 근거한) 2007년 일본군 '위안부' 사죄 결의안(HR121)이 통과된 후 벌어진 워싱톤 D.C. 청문회장에서 벌어진다. 옥

분이 이 자리에 오기까지도 난관에 봉착한다. 과거 위안부 등록을 안했기에 신원 증명 문제가 발생하지만 서명 작업을 주도하고, 결정적 증거인 사진을 갖고 그곳까지 날아온 민재의 분투가 연대의 힘을 발휘한다. 막상 단상에 오른 옥분은 환청과 어지럼증에 시달리며 아무 말도 못하는 곤경에 처하지만 회의장 뒤에서 소리쳐 응원하는 민재의 격려로 주먹을 불끈 쥔 채 자신의 소명을 실현해 낸다. 이중 삼중 유리문 속에 갇혀 영어 공부하는 옥분을 담아낸 미장센에서 예견되었듯이, 수십년간 감춰왔던 과거 상처는 욱일승천기가 흉터로 새겨진 복부를 증명으로 드러내면서 전복적인 반전이 벌어진다. 불화했던 LA 동생도 찾아와 누이를 자랑스러운 존재로 화해의 손을 먼저 내민다. 이렇게 위안부 증인으로 제2의 인생을 일구는 옥분은 시장으로 돌아와 진주댁과 소원해졌던 관계도 회복한다. 친하게 지내면서도 과

거 상처를 감춘 것에 서운해하며 옥분을 외면했던 진주댁과의 눈물젖은 화해는 진실한 우정의 연대이기도 하다.

유사한 주제를 다룬 영화들을 묶어 '테마 장르'로 설정할 수 있다. ('홀로코스트 테마 장르가 그런 경우에 속한다). 그간 공개된 위안부를 다룬 여러 영화들도 '위안부 테마 장르'를 형성하고 있다. 그런 맥락에서 〈아이 캔 스피크〉는 (옥분이 청문회에서 한 말처럼) 다시 반복돼서는 안 될 슬픈 역사의 기억을 대중적 공감대 속에서 "말할 수 있는" 작품으로 새겨볼만 하다.

유 지 나 _ ginarain8@gmail.com
영화 평론가. 파리7대학 기호학과 문학박사(영화기호학). 저서로 『유지나의 여성영화 산책』, 『한국영화, 섹슈얼리티를 만나다』(공저) 등이 있음. 동국대학교 영화영상학과 교수.

류승완 감독

감독/ 류승완
출연/ 황정민, 소지섭, 송중기,
이정현, 김수안, 이경영, 김민재
각본/ 신경일
제작/ 최병환
기획/ 강혜정, 류승완, 김정민
촬영/ 성정훈
제작/ (주)외유내강

류승완 액션은 혼성 진화한다.
안타까운 역사를 잘 재현해 손해를 보았다고
슬퍼하거나 노하지 말라.
'친일 프레임'과 '독과점 논란'에 갇힌 비운의 걸작.
극일보다 내부적 친일을 성찰로 제시

— 추천위원의 선정이유 中

군함도 혹은 지옥의 얼굴

─ 류승완 감독 〈군함도〉

홍용희

"이 풍진 세상을 만났으니 너의 희망이 무엇이냐". 1920년대부터 불리었던 번안곡 〈희망가〉의 첫 소절이다. 영화 〈군함도〉에는 이 노래가 두 차례 나온다. 이강옥 부녀가 군함도 한적한 달빛 아래에서 안무를 곁들여 한 번, 자막이 흐르는 엔딩곡으로 또 한 번. 두 차례 모두 너무도 처연한 '절망가'로 들린다. 혹독한 "풍진 세상"만 있고 "희망"의 출구는 어디에도 없기 때문이다. 그래서 군함도는 조선인에게 지옥도이다.

군함도軍艦島, 그 이름에서부터 섬의 낭만은 찾아지지 않는다. 일본 나가사키 항에서 남서쪽으로 약 18km 떨어진 곳에 위치한 섬, 원래 이름은 '하시마端島', 그러나 일본의 해상군함 '도사'를 닮았다고 하여 '군함도軍艦島라는 별칭으로 더욱 널리 알려졌다. 섬의 둘레를 따라 제방이 솟구칠 때까지 시멘트를 쏟아 부으면서 하시마는 더 이상 자연의 땅이 아니라 기괴한 인공

함선이 된다. 축구장 2개 정도 크기의 섬에 석탄이 발굴되기 시작하면서 하시마는 일본 근대화의 엔진으로 작동된다. 일본 최초로 철근 콘크리트 구조의 고층 아파트가 건설될 정도로 메이지 산업 혁명의 상징이 되어간다. 그러나 이러한 근대화의 표상은 아비규환의 엄청난 비극을 바탕으로 성장하고 있었다.

1945년 경성 반도호텔 악단장 이강옥과 그의 어린 딸 소희는 시모노세키행 관부 연락선에 몸을 싣는다. 일본에 가면 돈을 많이 벌 수 있을 것이란 생각 때문이다. 여객선은 종로 일대를 주름잡던 주먹 최칠성, 기구하게 유곽으로 팔려 다녔던 오말년, 갓 결혼한 전라도 사투리가 심한 새신랑 등등 제각기 서로 다른 간곡한 사연과 꿈을 지닌 인물들로 발 디딜 틈이 없다. 그러나 이들의 꿈은 바다 안개 사이로 엄습하듯 드러나기 시작하는 군함도라

는 괴물에 의해 완전히 삼켜져버리게 된다. 일제는 하시마 광산 노역을 위해 조선인들을 강제로 징용해 왔던 것이다. 여자들은 유곽에 감금시키고 남자들은 지하 탄광에 배치시킨다. 먼저, 여자들의 보건 검사를 진행한다. 비인간적인 상황 속에서도 창문으로 햇살이 비친다. 햇살은 공중의 먼지들을 하얗게 반짝거리게 한다. 어린 소희는 그 햇살을 잡으려고 작은 손을 펼친다. 맑고 천진스럽다. 그래서 관객들은 더욱 슬프고 안타깝다. 그들의 앞에는 견디기 어려운 고난의 나날이 기다리고 있음을 알기 때문이다.

남자들이 배치된 갱도는 1천 미터 아래까지 파들어 가는 막장이다. 가파른 경사, 숨 막히는 무더위, 도처에서 뿜어 나오는 지하 가스 등등이 수시로 목숨을 위협하고 앗아간다. 안전모나 작업복은 처음부터 없었다. 좁은 갱도일수록 어린아이들을 무자비하게 투입시킨다. 온종일 허리 한 번 펼 수가

없다. 하루 12시간이 넘는 노동에 시달리지만 식사는 형편없다. 식반에 굵은 벌레가 스멀스멀 기어 다니기도 한다. 영양실조와 허기에 갈비뼈가 앙상해져 간다. 잠시의 휴식도 허용되지 않는다. 도처에서 감독관의 매질이 이어진다. 인간의 목숨은 석탄 채굴의 할당량을 채우기 위한 수단일 뿐이다. 수시로 사고가 발생하고 비명이 이어진다. 죽임의 아비규환 그 자체이다.

바다 한 가운데 검은 지옥도에서 이강옥 부녀의 삶은 늘 애틋하고 처절하다. 이강옥은 어린 딸 소희를 위해 더욱 생존 본능에 분주해진다. 일본인 관리의 비위를 맞추기 위해 타고난 광대의 임기응변과 연기력이 동원한다. 그의 어린 딸을 향한 부성은 군함도 전반에 걸쳐 비극적 정서를 배가시킨다. 아비규환의 현장에서 소희만은 벗어나게 해주어야 한다는 염원이 절박할수록 스크린은 애잔한 마음결로 젖어간다. 여기에는 이강옥 역을 맡은 황정

민의 뛰어난 표정 연기들이 단연 크게 기여한다. 몸짓, 걸음걸이, 춤, 말투, 어깨 등이 모두 어린 딸을 걱정하며 지옥 속을 버티는 아비의 모습으로 절여져 있다.

이처럼 어두운 지옥 섬의 가장 간절한 희망은 무엇일까? 그것은 말할 것도 없이 탈출이다. 그래서 영화 〈군함도〉를 가로지르는 중심 서사는 지옥으로부터의 탈출이다. 군함도의 제방을 따라 수시로 파도가 들이친다. 밤낮으로 부서지는 파도 소리는 군함도의 외부 세계와의 아득한 고립과 단절의 공포를 극명하게 환기시킨다. 군함도에서 조선인의 탈출은 언제나 실패한다. 그래서 탈출은 모진 고문과 죽음의 전제가 되고 만다. "이 풍진 세상"에서 "희망"은 결코 허용되지 않는다.

일제가 이토록 조선인들의 파업이나 탈출을 견고하게 통제할 수 있었던

방법은 무엇일까? 탈출의 시나리오가 진행되면서 이러한 비밀이 조금씩 드러난다. 군함도의 신망 높은 조선인 지도자 윤학철이 사실은 일제 앞잡이였던 것이다. 그가 조선인들과 생사고락을 같이 하고 조선인들의 이익을 대변하는 듯한 행동들은 자신의 본모습을 숨기기 위한 속임수였다. 군함도에서 파업과 탈출이 한 번도 성공하지 못했던 비밀이 여기에 있었다. 일제의 패망이 짙어지면서 윤학철의 구출을 위해 군함도에 들어온 OSS 소속 광복군 박무영은 점차 이러한 비밀을 알아채게 된다. 일제는 조선인을 통제할 수 있는 지도자를 세워두고 그를 이용하여 다시 조선인을 관리하는 이중적 지배전략을 획책했던 것이다. 박무영은 분노로 외친다. "민족의 적과 내통한 죄, 인민들의 피를 빨아 사리사욕을 채운 죄, 지도자 행세를 하며 민중을 기만한 죄를 물어 너의 반민족 행위를 조선의 이름으로 처단한다." 그러나 박

무영의 윤학철에 대한 공개 처단이 결코 통쾌하지만은 않다. 믿었던 자로부터의 배신이기에 분노도 두 배이지만 허탈함도 두 배이다.

　박무영의 윤학철 탈출 전략은 조선인 전체의 탈출 전략으로 전환된다. 일본은 태평양 전쟁에서 패색이 짙어지자 군함도에서 행한 조선인에 대한 만행을 감추기 위해 조선인들을 갱도에 가둔 채 모두 죽이려는 계획을 세운다. 이를 알아챈 박무영은 지옥섬 군함도에서의 탈출 작전을 시행한다. 이때부터 영화 〈군함도〉의 스크린은 일본군과 조선인의 처절한 전쟁 씬으로 전개된다. 죽이지 않으면 죽게 되는 무서운 살육의 각축전이 펼쳐진다. 반은 죽고 반은 다친다. 투박하지만 인간적 의리를 지닌 최칠성, 면도칼처럼 날카롭고 강인해 보이지만 어린 소녀들을 어루만지고 품는 속 깊은 정을 지닌 말년도 전장의 광풍 속에 목숨을 잃게 된다. 이강옥도 치명적 부상을 당한다.

전쟁 씬이 너무도 긴박하고 강렬해서 영화 〈군함도〉의 전반을 압도하는 형국이다. 이 점은 〈군함도〉의 섬세한 정서적 결을 묻게 하는 단점으로 작용하기도 한다. 최칠성과 오말년의 사랑, 윤학철의 인간적 번민, 일본인 관리들의 내면 의식 등이 좀 더 부각될 수 있었다면 〈군함도〉의 리얼리티는 훨씬 더 살아날 수 있었지 않았을까? 특히 독립 지사였던 윤학철이 너무 평면적으로만 그려지면서 이강옥이 수시로 쏟아내는 "누가 조선종자 아니라고 할까봐."라는 대사는 식민 사관을 방증해주는 듯한 아쉬움을 준다.

그토록 갈망하던 군함도로부터의 탈출선이 움직이기 시작한다. 화염에 휩싸인 군함도가 저만치 보인다. 그러나 지옥으로부터 멀어진다 해도 지옥의 그림자는 쉽게 떨쳐지지 않는 법. 이강옥의 배에 난 총상은 점차 그의 목숨을 위협한다. 이강옥은 박무영을 향해 이승에서의 마지막 말을 한다.

"저년 설탕 친 콩국수 한 그릇만 먹여줘. 그게 소원이래."

2015년 7월 5일, 일본은 군함도를 "일본 메이지 산업혁명"의 자랑스런 유산으로 세계유산위원회에 등재하였다. 그러나 그곳은 조선인 애비가 자식에게 콩국수 한 그릇 먹이는 것을 유언으로 부탁해야 했던 참담한 지옥의 땅이었다. 이것이 군함도의 맨얼굴이다. 영화 〈군함도〉는 이 점을 130여 분 동안 웅변처럼 외치고 있다.

홍용희 _ chaenjan@naver.com
1966년 경북 안동 출생. 1995년 〈중앙일보〉 신춘문예로 등단. 저서로 『김지하 문학 연구』 『꽃과 어둠의 산조』 『아름다운 결핍의 신화』 『대지의 문법과 시적 상상』 등이 있음. 제 1회 젊은 평론가상, 편운문학상, 시와시학상, 애지문학상 등 수상. 〈시작〉, 〈쿨투라〉 편집위원. 경희사이버대 교수.

홍상수 감독

그 후

감독/ 홍상수
출연/ 권해효, 김민희,
김새벽, 조윤희
각본/ 홍상수
제작/ 강태우
촬영/ 김형구
제작/ (주)영화제작 전원사

홍상수 특유의 독설과 시니컬함이 살아 있음을 증명
불륜의 문제를 대담한 형식 속에서 풀어냄
홍상수의 모든 영화
나쓰메 소세키의 『마음』을 따라가는 밤
인생은 묘한 아이러니다.
홍상수는 이런 영화를 만들 때가 참 재미있다.
홍상수의 영화가 가슴을 울렸던 건 처음이었던 것 같다.
(그의 모든 전작들을 사랑하지만)

― 추천위원의 선정이유 中

〈그 후〉, 시간의 로드무비

─ 홍상수 감독 〈그후〉

김시균

홍상수라는 영화에 〈여성〉이 차지하는 자리

홍상수의 영화를 사랑한다. 그의 데뷔작 〈돼지가 우물에 빠진 날〉(1996)에서부터 스물한 번째 영화 〈그 후〉(2017)에 이르기까지 모두. 특히나 지난 몇 년간 작품들에 이어 〈그 후〉는 필자를 꽤나 오랜 기간 매혹시킨 영화였다. 〈지금은 맞고 그때는 틀리다〉(2015), 〈당신자신과 당신의 것〉(2016), 〈밤의 해변에서 혼자〉(2017), 〈그 후〉로 뻗어가는 일련의 필모그래피를 되짚건대, 그의 영화가 점점 더 편안하고 정갈해진다는 느낌이 드는 것이다. 그리고 무엇보다, 이 영화는 아름다웠다.

여기서 편안하다는 건, 초기부터 지속되어온 홍상수의 견고한 형식과 패턴에의 실험들이 무뎌지고 있다는 것은 물론 아니다. 예나 지금이나 그 실

험은 조금씩 다른 방식과 형태로 거듭나고 있다. 그러므로 앞서 말한 것은, 홍상수가 여성 캐릭터를 다룸에 있어 점점 더 깊이와 넓이를 확보하고 있다는 뜻이기도 하다. 초기부터 극의 중심을 이루었던 그의 남성 페르소나들이 여성 페르소나의 강화로 모종의 균형을 잡아가고 있는 것이다.

기존에 그의 영화들에서 여성은 하나의 시간축으로 기능했다. 그리고 이야기를 이끌어가는 것은 대부분 남성들이었다. 여성이 시간의 축을 이루면 남성들이 그 주위를 위성처럼 회전한 것이다. 그러다 짐작건대, 김민희가 처음 출연한 〈지금은 맞고 그때는 틀리다〉를 기점으로 여성 캐릭터들이 차지하는 몫이 점차로 늘어나기 시작했다.

〈지금은 맞고 그때는 틀리다〉는 춘수(정재영)에서 출발해, 희정(김민희)의 뒷모습으로 매듭지어지는 영화였다. 저절로 이루어진 사랑의 재귀라는,

그 기적의 순간을 보여준 〈당신자신과 당신의 것〉은 민정(이유영)이 자신이 민정임을 부인하며 민정 1, 민정 2 또는 민정의 언니로 여러갈래 분화했다. 그리고 지난해 〈밤의 해변에서 혼자〉는 유부남 감독에게서 실연당한 영희 (김민희)에서 시작해 강원도 해변가를 걸어가는 그녀의 뒷모습으로 막을 내린 영화였다.

여성 페르소나의 강화

〈그 후〉는 조금 더 나아간다. 보다 많은 여성들이 각자의 자리에 서 있다. 그 자리는 저마다의 시간 선을 이루는데, 그 선이 만나고 뒤엉킬 때마다 봉완(권해효)은 고통에 겨워 흐느낀다. 영화는 강출판사 사장이자 문학평론가인 봉완의 하루(현재)와, 그의 옛 연인에 대한 기억(과거), 그리고 시일이 얼마간 흐른 '그 후'(미래)를 다룬다. 그런데 실상 영화를 움직이는 것은 봉완이라기보단 그의 삶을 뒤흔드는 여성들이다. 봉완의 옛 연인 창숙(김새벽), 그의 현 아내(조윤희), 그리고 실질적 주인공이라 할 아름(김민희). 그 중 아름은 홍상수 영화의 여성 페르소나가 보다 강화되고 있음을 분명히 보여주는 캐릭터다.

그의 영화에서 여성 페르소나가 강화된 건 사실 어제 오늘 일은 아니다. 초기작 세 편에서 김의성(〈돼지가 우물에 빠진 날〉), 백종학(〈강원도의 힘〉), 정보석(〈오!, 수정〉)을 비롯해 김상경, 김태우, 문성근, 이선균 등이 남성 페르소나로서 서사를 이끌었다면, 2010년대에 접어들고부터 여성 페르소나의 강화가 한층 본격화됐다. 〈다른 나라에서〉(2011)와 〈우리 선희〉(2013) 속 영화학도(원주, 선희)를 연기한 정유미가 그러했고, 그 사이 개봉한 〈누구의 딸도 아닌 해원〉(2012) 또한 당돌한 여대생 해원(정은채)을 내세워 그

녀 내면을 지그시 응시하는 영화였다.

특히나 〈우리 선희〉에서는 선희를 좋아하는 세 남자가 그녀 주변을 회전하며 벌어지는 해프닝을 그렸는데, 〈그 후〉는 인물의 물리적 구성에선 〈우리 선희〉를 뒤집은 것처럼 보인다. 봉완이란 남자의 주변을 아름, 창숙, 아내라는 세 여성이 감싸고 있기 때문이다. 여기서 중요한 건, 이들이 고정된 시간축으로서가 아니라 변모하는 유동적 시간축으로, 개별적 선으로서 기능한다는 사실이다. 이같은 구도와 배치는 홍상수 영화에선 이례적이다. 과거-현재-미래를 오가는 듯한 세 여성의 시제 유희, 그 역동적 윤무에 봉완은 완전히 붙들린 듯한 느낌마저 든다. 한 마디로 〈오, 수정〉(2000)이 기억의 불완전함을 다루었고, 〈북촌방향〉(2011)이 시간의 불확실함을 그렸다면, 〈그 후〉는 양자 모두를 가로지르는 영화다.

특기할 건 〈그 후〉가 홍상수 영화로는 처음이라 할 플래시백이 반복적으로 쓰인다는 것이다. 영화는 봉완의 집에서 출발한다. 벽시계는 새벽 4시 29분을 가리키고, 그런 그가 아내를 마주한 채 아침밥을 먹는다. 봉완은 "만나는 여자 있는 거 아니야?"라는 아내의 추궁에 헛웃음을 짓더니 침묵하고, 이내 어두운 새벽길을 거닐며 출근한다. 그러면서 그의 시선에 비친 장소를 따라 그 자신의 플래시백이 끼어든다. 아파트 입구를 나설 때엔 어느 새벽 혹은 늦은 밤, 창숙과 비틀거리며 걷다 지하 주차장 계단에서 서로 포용하던 순간을 떠올린다. 지하철에 앉아서는 작고한 소설가 김소진의『눈사람 속의 검은 항아리』라는 책을 읽더니, 창숙의 어깨에 기대어 졸던 지하철에서의 기억을 반추한다.

여기서『눈사람 속의 검은 항아리』라는 책은 의미심장하다. 봉완이 그날 하루 직면할 사건을 미리 암시해주는 소품(실제로 강출판사가 펴냈다)이거니와, '눈사람 속의 검은 항아리'라는 표현 자체가 봉완의 외도 사실을 은근히 암시해주고 있기 때문이다. 책에는 실제로 이런 구절이 나온다. "눈사람 속에 감춰진 비밀이란 영원할 수가 없어서 반나절만 지나면 오후의 찬란한 햇빛 아래 만천하에 드러나게 마련이다." 봉완의 감춰진 비밀 또한 반나절만 지나면 오후의 찬란한 햇빛 아래 드러날 것이다. 과거 그가 창숙에게 보낸 연서가 아내에게 들통나는 것이다.

배경이 강출판사로 옮겨지면 이제 아름이 등장한다. 아름에겐 이날이 첫 출근일이자 마지막 출근일이다. 봉완의 내연녀로 오인받아 뺨을 맞는 봉변을 당하고, 봉완의 기억 속에서나 존재하던 창숙이 현실에 불쑥 나타나면서 일자리마저 그녀에게 빼앗긴다. 말하자면 〈그 후〉는 아름의 하루 동안 펼쳐지는 수난기이자, 아름의 '그 후'를 그린 영화이기도 하다. 플래시백은 두 차례 더 이어진다. 봉완과의 첫 대면에서 자신의 아픈 가족사를 끄집어낸 아름이 자리 잠시 비운 사이, 봉완은 그런 아름 쪽을 물끄러미 바라본다. 그 다음, 같은 공간에서 창숙에게 "점심 먹으러 가자"는 그의 플래시백이 끼어든다.

과거-현재-미래, 원을 이루는 시간들

재밌는 건, 이후 중국집 씬에서 아름과 봉완이 주고받는 대화다. 이 대화는 홍상수의 여성 페르소나(아름)와 남성 페르소나(봉완)가 팽팽히 맞서며 긴장하는 듯한 인상을 안긴다. 홍상수 영화에서 대사는 자주 의미 없는 기표처럼 화면 안팎을 미끄러졌는데, 이 경우엔 다르다. "왜 사세요?"라는 다소 뜬금없는 아름의 물음이 처음엔 웃음을 주지만, 이어지는 대화는 무심코 흘려듣기엔 무게감이 남다르다. 봉완은 홍상수의 남성 캐릭터들이 늘어놓던 보이지 않는 '실체'와 '진짜'에 대해 이번에도 강변하고, 아름은 이를 반박한다.

아름은 '믿음'을 믿는 여자다. "안다고 전제하는 건 마음이 지어낸 허상"이라며 그것을 "비겁한 것"이라 일갈한다. 그런 그녀가 믿는 것은 "제 자신이 주인이 아니라는 것, 언제 죽어도 괜찮다는 것"이자 "모든 게 사실은 아름답다"는 것이다. 아름은 그렇게 세상을 껴안는다. 홍상수 영화를 통틀어 매우 당당하고 자립적인 여성이라 해도 과언이 아니다. 마치 소크라테스와 소피스트의 공박을 보는 듯한 저 씬은 그리하여 홍상수 영화의 무게 중심이 남성에서 여성으로 서서히 기울고 있음을 짐작게 해준다.

홍상수의 영화를 특징짓던, 반복과 차이, 대구의 형식 미학은 〈그 후〉에도 어김없이 변주된다. 주목할 건, 그가 이를 통해 과거-현재-미래로 나아

가는 시간의 선형성을 재고하고 있다는 것이다. 투 쇼트로 담은 아름과 봉완의 중국집 대화를 지나면 창숙과 봉완의 플래시백이 같은 공간 같은 구도로 연결된다. 현재의 아름이 봉완에게 "비겁하다"고 말한 것이, 과거 만취한 창숙이 봉완에게 "비겁해요"라며 울부짖는 장면과 포개진다. 그렇게 현재(아름)와 과거(창숙)의 대구로 홍상수식 '반복과 차이'가 변주된다. 그리고 극 후반, 그날 하루가 얼마간 지난 '그 후'의 아름이 봉완의 출판사로 다시 찾아왔을 때에도 마찬가지이다. 봉완은 한동안 아름을 기억하지 못하며 그녀를 마치 첫 출근일 때처럼 대한다. 둘은 그렇게 테이블을 사이에 두고 그날과 비슷한 대화들을 주고받는다. 과거가 된 현재, 현재가 된 미래의 만남이다.

　〈그 후〉는 그렇게 시간의 간극마저 아예 허문다. 세 가지 시간 선이 교호

하더니, 종래엔 원을 이루며 하나로 수렴되는 것이다. 창숙이 과거를 뚫고 현재로 진입하는 그 순간이 이를 직접적으로 지시해주고 있다. 이 영화 러닝타임 45분 즈음, 봉완의 옛 기억에나 존재하던 창숙이 출판사 문 앞을 서성이며 불쑥 현 시점으로 소환된다. 과거와 현재라는, 시간의 도식화가 바로 이 순간 무화된다. 〈그 후〉가 전작들과 달리 지역성이 바래어진 느낌이라면, 아마도 이 때문일 것이다. 특정한 장소는 지나간 어제와 지나갈 오늘, 다가올 내일까지 동시에 품고 있기 때문이다. 이처럼 구조와 형식의 완결미를 지닌 〈그 후〉를 '시간의 로드무비'로 부르고 싶어지는 이유다.

아름, 이름처럼 아름다운

한 가지만 더 언급하며 이 글을 맺고 싶다. 〈그 후〉에는 매우 아름다운 장면이 등장한다. 그러니까 극 말미, 강출판사를 떠난 아름이 한 가득 책을 싸들고 택시를 탄 바로 그때, 우리는 홍상수의 영화로는 예외적인 한 장면을 목도케 된다. 책 한 권을 주섬주섬 꺼내 읽던 그녀에게 택시기사(기주봉)가 차창 밖에서 눈이 내린다고 말한다. 차창을 내리니 정말로 아름 앞에 우수수 눈송이가 떨어진다. 홍상수는 바로 이 순간 미소 짓는 아름의 얼굴을 클로즈업으로 담았다. 그가 클로즈업을 거의 쓰지 않던 감독임을 상기한다면 이것은 이례적이다. 최근작을 중심으로 홍상수의 영화에 이처럼 아름다운 쇼트가 등장한다는 건 주목할 일로 다가온다. 〈밤의 해변에서 혼자〉에서도 그런 순간이 있었다. 마치 아름다운 한 폭의 정물화처럼, 모래사장에 가로로 누운 영희를 풀 쇼트로 담아낸 바로 그 장면. 아, 그의 영화에 일고 있는 이 같은 변화들을 우리는 어떻게 마주해야 할까. 일단은 이렇게 말해두고 싶다. 세상을 껴안겠다는 아름처럼, 이 모든 것들을 한껏 껴안아주고 싶다고.

김 시 균 _ sigyun3814@gmail.com
매일경제신문 문화부에서 영화, 문학, 출판, 문화재 부문 등을 담당했고, 현재는 영화, 문화재 관련 기사들을 쓰고 있습니다.

조현훈 감독

감독/ 조현훈
출연/ 이민지, 구교환, 이주영,
박강섭, 이석형
각본/ 조현훈, 김소미
제작/ 백재호
촬영/ 임지훈
제작/ 영화사 서울집

올해 가장 문제적인 다양성 영화
비극이 이처럼 아름다울 수 있을까?
인생이 외로워서 버거운 사람들을 위한
꿈결같은 위로 한마디

— 추천위원의 선정이유 中

마성의 캐릭터를 만드는 완벽한 방법

― 조현훈 감독 〈꿈의 제인〉

윤성은

〈꿈의 제인〉의 내레이터는 '소현'(이민지)이다. 엄마가 돌아가셨고, 가출 팸(한 집에서 가족family처럼 리더인 '엄마'나 '아빠'를 두고 살아가는 가출한 아이들의 집단)을 전전했다는 것 외에 소현의 과거에 대한 정보는 나오지 않는다. 티미한 눈빛, 소심한 말투, 답답한 행동들에서 그녀가 사회성이 부족한 인물이라는 것만 드러날 뿐이다. 사실 그걸로 충분하다. 영화에 묘사된 소현은 사람들과 어울리려 무던히 노력하지만 반복해서 혼자가 되어 버리는 아이, 그럴 수밖에 없을 만큼 호감이 가지 않는 아이이다. 그녀는 보통 사람들보다 더 인간관계에 어려움을 겪고, 관계 유지에 실패했을 때 느끼는 좌절감 또한 서너 단계쯤 더 높다. 그래서 관객들은 소현의 얼굴이 클로즈업 될 때조차 적당한 거리를 두고 그녀를 바라본다. 외로움을 토로할 때, 사람들 사이에서 겉돌 때, 조직과 개인 사이에서 갈등할 때 등 소현에게 감정이 이입되는 순간은 몇 번 있지만, 먼저 다가가고 친해지고 싶은 마음이 들 정도의 인력引力이 그녀에게는 없다. 그러나 트릿한 주인공 대신 이 영화에는 '제인'(구교환)이 있다. 소현이 동경을 갖고 응시하는, 소현과는 여러 면에서 대비를 이루는 제인은 영화의 모든 매혹이 응축되어 있는 인물이다. 〈꿈의 제인〉의 가장 큰 성취 중 하나는 캐릭터를 매력적으로 구현하는 완벽한 방법을 보여준다는 것이다.

제인은 첫 등장부터 관객을 완전히 압도한다. 초반부, 가출팸에서 떨어져나와 '다시' 혼자가 된 소현은 전에 '정호'와 살던 모텔로 가서 자살을 기도한다. 욕조에 소현이 손목을 담그고 있는 이미지 위로 "거기라면 누구라도 있지 않을까"라는 내레이션이 얹히고, 거의 동시에 문을 두드리는 오프 스크린 사운드가 삽입된다. 그리고 "누군가 날 데려가 주지 않을까 기대했거든요."라는 소현의 목소리에 이어 리듬을 타듯 제인이 등장한다. 녹색 귀걸이에 반짝이는 아이섀도, 붉은 립스틱을 바른 그녀는 한 손에 담배를 들고 소현에게, 동시에 관객들에게 특유의 중성적 목소리로 인사한다. "안녕?" 아름답고, 우아하고, 뇌쇄적이면서도 따뜻한 제인의 캐릭터가 잘 소개되는 이 장면은 비단 〈꿈의 제인〉에서 뿐 아니라 작년 한 해 동안 개봉한 독립영화를 모두 놓고 본다 해도 가장 강렬한 장면 중 하나라 할 수 있다. 그녀가 등장하는 부분은 초반 32분과 후반 7분에 한정되어 있으며, 이는 러닝타임의 절반도 되지 않는 분량이라는 사실은 거의 느껴지지 않을 정도다. 그만큼 제인은 영화 전체의 분위기를 장악하며 이끌어가는 캐릭터다.

숨막히는 첫 등장 이후 제인은 왜 그녀가 영화의 제목 그 자체일 만큼 중요한 인물인지 입증해나간다. 트랜스젠더인 그녀는 '뉴월드'라는 게이바의

가수이면서 가출한 아이들을 먹여주고 재워주는 가출팸의 '엄마'다. 그녀의
첫 번째 특별함은 강함과 약함을 동시에 드러낸다는 데 있다. 남성의 육체
와 여성의 영혼이 혼재되어 있는 것처럼, 누구보다 자유롭고 강한 듯 보이
지만 그녀는 날 때부터 거짓(남근)을 육체에 지니고 태어난, 슬프고 연약한
존재다. 제인은 아이들을 먹이고 돌보는 반면, 쇠약한 육신 때문에 아이들
의 돌봄을 받기도 한다. 삶에 대해 이야기할 때는 백발의 철학자 같은데 개
와 장난을 치거나 해변에서 튜브볼을 슬쩍 가져올 때는 천생 개구쟁이고,
휘파람을 불기도 하지만 불어달라고도 하는 사람, 죽지 말고 살아야 한다고
말하면서 정작 자신은 스스로 삶을 포기하는 사람이 제인이다. 이러한 양면
성은 제인의 캐릭터를 함부로 규정하지 못하게 만들고, 더 알고 싶게 만들
며, 그녀의 동작 하나 하나를 주시하게 만든다.

　제인에게 빠져들게 만드는 또 한 가지 중요한 요소는 그녀의 대사들이다. 공히 공동체성이 강조된 그녀의 대사들은 제인의 이미지나 목소리와 함께 영화를 오래 기억하도록 만든다. 가령, 애들을 왜 데리고 사냐고 묻는 소현의 질문에 제인은 이렇게 말한다.

　　"난 인생이 엄청 시시하다고 생각하거든. 태어나면서부터 불행이
　　시작돼서 그 불행이 안 끊기고 쭉 이어지는 기분? 근데 행복은 아주
　　가끔, 요만큼, 드문드문, 있을까 말까? 이런 개 같은 인생 혼자 살아
　　뭐하니…(중략)…아무튼 그래서 다 같이 사는 거야."

　어린 소현은 이 말을 다 같이 불행해야 공평하다는 의미로 오인하고 말지만, 제인의 삶의 태도나 다른 대사들과의 맥락을 고려할 때 이 문장들은 오

히려 어쩌다 있을까 말까 한 행복을 나누기 위해서 함께 살아야 한다는 의미를 담고 있다. 아이들에게 "네 명 중 하나라도 케이크를 포기하게 만들어선 안 되는 거야…(중략)…차라리 셋 다 안 먹고 말아야지."라고 말하거나, 뉴월드에 온 손님들에게 "오늘처럼 이렇게 여러분들이랑 즐거운 날도 있으니까 말이예요…(중략)…우리 죽지 말고 불행하게 오래오래 살아요. 그리고 내년에도 내후년에도 또 만나요."라고 말하는 그녀는 만남의 인연과 공생에 대해 확고한 철학을 갖고 있다. 모태로부터 '조경환'(제인의 본명)으로 세상에 나온 '거짓'과 불행을 남에게 전가시키는 대신 가출한 아이들을 받아주고 해변가의 쓰레기를 줍는 등 타인을 행복하게 해주기 위한 자신의 철학을 실천하는 사람이며, "인간은 시시해지면 끝장이야." 라는 영화의 가장 인상적인 대사를 좌우명 삼아 살아가는 '진실'된 인물이다.

　이러한 제인의 캐릭터는 영화의 주제를 포괄하고 있다는 점에서 더욱 중

요하다. '가출팸'을 소재로 하면서도 폭력이나 성매매 문제를 자극적으로 부각시키기보다 그 또래의 대안 가족에서조차 잘 적응하지 못하는 한 청소년과 매력적인 트렌스젠더를 중심으로 인간의 고독과 공동체에 대한 주제를 끌어냈다는 점은 〈꿈의 제인〉의 우수한 독창성을 말해준다. 성소수자라는 이유로 어릴 때부터 따돌림 당하고 사랑받지 못했던 제인은 소현과 또 다른 차원에서 사람들과 섞이는 방법을 몰랐던 사람이었지만, 그 고통을 그녀만의 삶의 철학으로 승화시킴으로써 그녀를 떠나지 않는 아이들, 그리고 그녀를 찾아온 뉴월드의 관객들과 '함께' 있게 된다. 그리고 소현의 손목에 도장을 찍어줌으로써 제인은 소현을 뉴월드에 입장시킨다. 여기서 뉴월드는 게이바의 이름임과 동시에 소현이 다른 사람들 속에 자연스럽게 파묻힐 수 있는, 말 그대로 '새로운 세계'다. 미러볼이 알록달록한 색을 내며 돌아가는 세계, 사람들이 기분 좋게 몸을 흔드는 세계, 누군가가 자기를 위해 노래를 불러주는 이 세계에서 소현은 드물게 행복해 보인다.

　　그러나 허무하게도, 이토록 멋진 제인의 존재가 거짓이었음이 서서히 밝혀진다. 영화는 소현이 실제 겪은 이야기와 상상한 이야기, 두 개의 플롯을 문턱 없이 오가며 관객들을 혼란시키다가 종반부에 가서야 상황을 깔끔하게 정리한다. 그 전까지는 같은 인물, 같은 집, 같은 캐리어, 같은 상황, 같은 대사 등이 두 이야기 모두에 등장하고, 편집 또한 복잡하게 설계되어 있어 시간적 순서조차 짜맞추기 쉽지 않다. 이러한 형식은 몽환적 음악이나 슬로우 모션과 더불어 상상과 현실, 거짓과 진실을 모호하게 만들기도 하지만, 그 경계를 파고들면 제인이 등장했던 초반부의 이야기들은 대부분 소현의 상상임을 알 수 있다. 정호를 따라 간 뉴월드에서 소현은 제인을 만났고, 덕분에 뉴월드에 입장해 그녀의 노래를 들은 적은 있으나 그녀의 집에 산 적은 없으며, 따라서 제인과의 추억이나 '제인팸'의 생활은 모두 지어낸 이야기다. 흥미로운 것은 이런 사실이 잘 구축되어 있던 제인이라는 캐릭터를 한낱 물거품으로 전락시키는 것이 아니라 신화 속 영웅처럼 더욱 환상적으로 가공한다는 사실이다. 제인을 완벽하게 이상적 존재로서 완성시킨 순간은 아이러니하게도 그녀가 소현의 상상 속에 재구성된 인물이었다는 점이 드러나는 순간이다.

대부분의 인생을 시시한 인간들과 보내고, 시시하게 살아갈 수밖에 없는 평범한 우리는 종종 거짓을 현실로 느끼고 싶을 때 영화관을 찾는다. 제인과의 만남은 어쩌면 관객들이 그토록 갈구하는 거짓이라 할 수 있을 것이다. 영화가 끝난 후에도 등장인물의 매력에서 쉽게 빠져나오지 못하는, 인생의 드문드문한 행복을 선사하는 작품이다.

윤 성 은 _ amee9@naver.com
영화학 박사. 2011년 영평상 신인평론상 수상 이후 다양한 매체를 오가며 영화평론가로 활동하고 있다. 2015년 공연과 리뷰 PAF 평론상 수상.

황동혁 감독

남한산성

감독/ 황동혁
출연/ 이병헌, 김윤석, 박해일,
고수, 박희순
각본/ 황동혁, 김훈(원작)
제작/ 한흥석
촬영/ 김지용
음악/ 류이치 사카모토
제작/ 싸이런 픽쳐스, 인벤트스톤

중용의 서늘함을 '언어예술'로 승화시키다
원작의 힘, 원작을 압도하는 각본의 힘
비루한 역사는 지루함을 감수하는 것
말을 듣고 있는데, 몸이 베여 피가 흐르는 듯.
국가적 트라우마의 재현: 역사영화
패배의 미학
넘침도 없이, 모자람도 없이, 정확히 필요한 만큼 담아내고 말하는 영화.
원작 소설을 배반하지 않는 선에서 보여줄 수 있는 어떤 최대치를 본 것 같다
500년 조선왕조의 본질과 모순과 운명을 47일간의 항전기록에 상징적으로 압축하여
담는다.

— 추천위원의 선정이유 中

설전을 넘어 협력을 시사한 영화

— **황동혁** 감독 〈**남한산성**〉

손정순

대하드라마 〈대명〉의 강렬했던 캐릭터

김훈 작가의 소설 『남한산성』이 영화로 제작된다고 했을 때 전 국민의 관심이 쏠렸다. 그의 장편을 읽었던 나는 그 치욕스런 굴욕의 역사가, 훔치고 싶었던 그의 감각적 언어들이 어떻게 영상의 옷을 입고 재탄생할지 기대되었다. 그리고 초등학교 시절 온가족이 시청했던 대하드라마 〈대명〉(kbs1 1981.1.5~12.28)이 떠올랐다. 1년 동안이나 방영되었던 그 대하역사를 어떻게 영화의 러닝타임 안에 담을 수 있을지 궁금했다. 당시는 신군부를 등에 업은 전두환 집권 초기였지만 어린 나는 비운의 왕자인 소현세자(백윤식)보다 아우인 봉림대군 효종(고 김흥기)에게 마음을 빼앗겼다. 그리고 서로 다르지만 자신의 신념을 지키는 두 충신 최명길(김성원)과 김상헌(임동진)에게 매혹되었으며, 둘 중에서도 최명길에게 마음이 기울었다. 지금도 '병자호란'을 떠올리면 드라마 〈대명〉이 생각나는 것은 어린 마음마저 송두리째

흔들던 봉림대군과 최명길의 강렬했던 극중 캐릭터 때문일 것이다.

원작과 설전을 넘어 협력으로

소설 『남한산성』은 1636년 병자호란 때 청나라의 침략을 피해 인조와 신하들이 남한산성으로 피신했던 47일간의 이야기를 그리고 있다. 남한산성에 갇힌 조선의 왕, 그 앞에서 벌어지는 두 충신의 대립, 그리고 흔들리는 조선의 운명 앞에서 각자의 방식으로 살아가는 민초들의 삶을 통찰력 있게 담아낸 작품이다. 김훈 특유의 간결하면서도 힘 있는 문장으로 출간 10년 만에 100쇄를 기록(70만부 판매)한 이 베스트셀러가 황동혁 감독에 의해 스크린으로 재탄생한 것이다.

김훈이 "소설로 표현하고자 했던 의도를 영상으로 잘 표현했다"고 밝혔듯이 영화는 그 혹한의 겨울과 함께 원작의 깊이를 담아내려고 노력했고, 이

를 고스란히 스크린에 옮겼다. 영화 속으로 들어가 보자.

짙은색 옷을 입은 최명길(이병헌)은 청의 군대를 앞에 두고 아무런 미동도 없다. 바로 앞에 그를 위협하는 화살이 비 오듯 쏟아지지만 담담하게 청의 진지로 들어가 죽음을 불사한 협상을 시도한다. 연이어 등장하는 김상헌(김윤석)은 자신을 남한산성 길로 안내해준 뱃사공이 청에게도 길을 알려주겠다는 말에 그를 단칼에 베어 죽인다.

이 강렬한 오프닝 시퀀스를 시작으로 영화는 책장을 한 페이지씩 넘기듯 챕터를 나누며 펼쳐진다. 예조판서 김상헌과 이조판서 최명길은 죽기를 각오하고 맞선다. 김상헌은 오랑캐에게 항복하는 임금을 섬길 수 없다고 하자 최명길은 오랑캐의 발밑을 기어서라도 백성과 사직을 보전하는 것이 임금의 일이라고 논박한다. 두 사람은 모두 자신의 목을 내놓고 왕에게 진언한다. 하지만 그들은 대의명분 앞에서는 기꺼이 힘을 합치는 데 주저하지 않

는다. 최명길과 김상헌의 설전은 살벌한 적대감이 넘치는 한편 상대의 인격을 깊이 존중하는 모습 또한 보인다. 최명길은 스스로를 역적이라 칭하면서 조정에 복귀한 후 김상헌을 중용할 것을 인조에게 간청한다.

이 대목은 과히 감동적이다. 우리가 살아갈 인공지능시대의 덕목은 협력이라고 하지 않는가? 치열한 논쟁을 벌이면서도 서로를 존중하고 대의명분 앞에서 기꺼이 힘을 합치는 그들에게서 오늘날 우리 정치는 겸허히 배워야 할 것이다.

원작이 그러하듯 극중에서 연출자는 그 누구의 편도 들어주지 않는다. 그들은 처음부터 해답 없는 불가능한 선택을 강요받았기에 때문에 누가 옳고 그르다거나 이분법적 잣대를 들이댈 수 없다. 그대로의 역사를 보여주며 오로지 관객에게 판단을 유보한다.

"작품 뒤에 감춰둔 메시지를 감독이 끌어내 언어화했다. 결국 들켰다"(김

훈)는 고백처럼 남한산성의 혹독한 겨울이 곳곳에 표현되고 있다. 그래서일까? 영화를 보는 내내 마음이 무거웠다. 관객들 또한 숨소리도 내지 않고 화면을 응시했다. 아마도 오늘의 현실과 별반 다를 게 없는 스크린 속 과거의 역사가 너무나 소름 돋았기 때문일 것이다.

〈남한산성〉을 이끄는 캐릭터들, 김윤성의 재발견

영화 〈남한산성〉을 끌고 가는 동력은 단연 이병헌과 김윤석이라는 두 걸출한 배우이다. 화친파와 척화파의 선봉으로 나선 두 사람은 영화(소설) 속 캐릭터 그 자체다. 극중 캐릭터뿐 아니라 연기 또한 두 배우가 한 치의 양보도 없이 팽팽히 맞서며 대결구도를 끌고나가서 전체적으로 긴장감이 유지되면서도 안정적인 느낌을 주었다. 이병헌은 사극에 너무나 잘 어울리는 배우임을 한 번 더 입증했다. 그의 굵직하면서도 허스키한 저음은 역사 속 난

세에 처해있던 최명길의 환생을 보는 듯 했다. 그러나 이 영화에서 더 빛나는 배우는 김윤성이다. 사극에서의 그를 상상할 수조차 없었는데, 그간의 늘 비슷한 연기 이미지로 진부함을 선사했던 그가 모처럼 몸에 꼭 맞는 옷을 입은 듯 열연했다. 하염없이 나약하고 따뜻한 캐릭터 뒤에 숨겨진 그의 올곧으면서도 쩌렁쩌렁한 목소리는 당장이라도 스크린 밖을 뚫고 나올 것만 같은 강렬한 이미지를 선사했다. 〈남한산성〉이야말로 김윤성 배우의 재발견이었다.

그리고 영화 〈남한산성〉에서 빼놓을 수 없는 캐릭터는 대장장이 날쇠(고수)일 것이다. 그는 그 시대를 살아낸 백성 대표로 그가 맡은 역할의 비중은 물론 내용 또한 감동적이었다. 또한 조선의 노비로 태어나 청의 관직에 오른 역관 정명수(조우진)는 청과 조선을 연계하는 캐릭터를 완벽하게 소화하며 극의 팽팽한 긴장감을 더해주었다.

가장 무능하다는 조선의 왕 인조 역은 박해일이 맡았다. 그래서일까? 소

설을 읽었을 때처럼 분노가 치밀지는 않았다. 원작을 스크린으로 옮기면서 왕의 무능함보다는 신하들의 갈등을 주요인으로 삼은 이유일 수 있지만 무엇보다 이 역할을 순한 인상의 박해일이 맡은 것이 적잖은 영향을 미친 것 같다. 이외에도 김상헌의 칼에 쓰러진 송파나루의 뱃사공, 적진을 뚫고 안개처럼 산성에 스며든 어린 계집 나루 등 소설『남한산성』의 상징을 톺아보는 민초 캐릭터들은 주연 못잖게 흥미롭다.

팩트와 픽션을 뛰어넘는 시사점

선조시대 전쟁영화 〈명량〉(김한민)은 200억 원을 투입해 6배 수익을 올리는 대박을 터뜨린 바 있다. 그런 만큼 인조시대 전쟁을 바탕으로 한 〈남한산성〉 역시 성공에 대한 기대가 컸다. 그러나 제작비 150억 원의 손익분기점인 500만 명에 못 미치는 385만 명 관객이 들었다.

작가 김훈은 "이 책은 소설이며, 오로지 소설로만 읽혀야 한다"고 전제한다. 아울러 "실명으로 등장하는 인물에 대한 묘사는 그 인물에 대한 역사적 평가가 될 수 없다"고 못 박는다. 하지만 영화에서 논리적인 두 충신의 대결에 현대사를 중첩시켜 본 사람이 아니라면 〈명량〉만큼 전투신이 화려하지도 않고 전쟁 속 휴머니즘과 로맨스도 부족한 스토리에 다소 지루함을 느꼈을 것이다. 또한 청군의 잔혹함에 대한 묘사도 부족하다. 이날의 참상을 기록한 사서에는 "청군은 관청과 여염에 불을 지르고 반항하는 사람들을 도륙했다. 시체가 쌓여 들판에 깔리고 피는 강물을 이뤘다."고 전한다. 임금과 대신은 항복하고 살아남아 계속 자리를 보존하는 동안 청에 끌려간 수십만 명에 달하는 백성이 겪은 고통은 죽음보다 더 잔혹했던 것이다. 그래서 "경들은 저 너머 겨울 들판이 뵈는가? 나는 보이지 않는다"는 인조의 말이 더 처절한 리얼리티를 형성한다.

척화파 김상헌의 최후를 비롯하여 원작과 조금 다른 부분도 간혹 있지만 영화는 고증에 철저했고 진중하게 접근했다는 생각이 들었다. 거기다 류이치 사카모토 감독의 음악, 배우들의 명연기까지 더해져 구성면에서는 흠잡을 데가 없었다. 관객평은 호불호가 갈렸지만 한 폭의 동양화 같은 영상미, 절제된 연출, 김윤석·이병헌을 비롯한 배우들의 호연 등 충분히 영화전문가들이 호평을 쏟아낼 만한 영화였다. 두 주인공의 팽팽한 설전을 넘어 대의 앞에서는 함께 협력을 도모하는 설정만으로도 이 영화는 한국영화사에 주요한 시사점을 던졌다고 본다.

손 정 순 _ more-son@hanmail.net
고려대학교 대학원 국문과 박사과정 수료. 2001년 《문학사상》 신인상으로 등단.
시집으로 『동해와 만나는 여섯 번째 길』과 저서 『흰 그늘의 미학, 김지하 서정시』
『목월시의 현대성』 『문화현장에서 통섭적 글쓰기』 등이 있음. 《쿨투라》 편집인.

이창재 감독

감독/ 이창재
출연/ 노무현
각본/ 양희, 이창재
제작/ 최낙용
촬영/ 이창재, 이용협
제작/ 영화사 풀

역설적 시네마 베리떼의 힘
이미 알고 있는 이야기를 긴박감 있게 만드는 감독의 능력
기존 자료 화면과 앵커 컷의 인터뷰만으로도
훌륭한 다큐가 만들어질 수 있다!
한국정치의 대중적 염원과 좌절에서 그래도 희망의 불씨를 지핀다.
한국 정치사에서 노무현의 의미가 무엇인지를
그의 가장 절정의 순간을 통해 조명하였다.

— 추천위원의 선정이유 中

〈노무현입니다〉, 역설적 시네마 베리떼의 힘

— 이창재 감독 〈노무현입니다〉

김시무

이창재 감독의 〈노무현입니다〉(Our President, 2017)는 고故 노무현盧武鉉 대통령의 후보 시절을 다룬 다큐멘터리 영화다. 지난 2017년 5월에 개봉을 한 이 영화는 문재인 대통령의 당선과 더불어 그를 사모하는 이들의 성원에 힘입어 1백 80만 명이 넘는 관객 수를 기록했다. 잘 알려져 있듯이, 노무현 전前 대통령은 1946년 9월 1일 태어나서 2009년 5월 23일 서거逝去했다. 이명박 정권의 정치적 탄압彈壓의 귀결이었다. 경상남도 김해 출신인 노무현은 부산상업고등학교를 졸업하고 독학으로 고시高試에 합격하여 변호사로 일하다가 국회의원을 거쳐 대통령의 자리에까지 오른 그야말로 입지전立志傳적 인물이다.

이 다큐멘터리는 각종 선거에 출마했다가 번번이 낙선했던 정치 신인 노무현이 1998년 종로구 보궐선거로 어렵사리 얻은 국회의원의 프리미엄을

과감하게 버리고 2000년 부산지역의 국회의원 후보로 새롭게 정치인생을
시작하게 되는 과정을 당시에 찍은 기록 필름을 통해서 웅변적으로 보여준
다. 영화를 보면 알 수 있지만, 노무현은 대한민국 정치일번지라고 불리는
종로구를 뒤로하고 부산지역에 출사표를 던졌다. 현실에 안주해서는 새로
운 변화를 기대할 수 없다는 판단을 한 것이다. 참모진과 지지자들은 극구
말렸지만 노무현의 의지는 단호했다. 노무현의 참신함이 먹혔던지 처음에
는 각종 여론조사에서 선두를 달리기도 했다. 하지만 위기의식을 느낀 당시
한나라당 적폐積弊 후보 허태열이 지역감정을 조장하는 발언을 연이어 쏟아
내는 비열한 술수術數를 쓰는 바람에 결국 선거에 패하고 말았다. 이때 노무
현은 참담한 심정을 감추지 못했고, 지지자들은 그를 '바보같은 노무현'이라
고 책망하면서도 그에 대한 성원을 아끼지 않았다. 그랬다. 기득권을 포기

했던 그는 바보였지만, 바로 그 같은 미련함과 우직함으로 새로운 도약의 발판을 마련했다. 그를 사랑했던 지지자들이 '노사모'라는 전국적 조직을 결성하고 그를 적극 후원하기로 결의를 다진 것이다.

때는 2002년. 대선을 앞두고 당시 여당이었던 새천년민주당은 대한민국 정당 최초로 국민참여경선제를 도입했는데, 노무현이 지지자들의 성원에 힘입어 당당히 출사표를 던진 것이다. 경선에는 대세로 떠오른 이인제를 비롯해서 한화갑, 김근태, 정동영, 김중권 등이 출마하여 서로의 세를 과시하고 있었다. 노무현의 정치적 기반은 허약하기 그지없었다. 경선 초반 그에 대한 지지율은 고작 2%에 불과했다. 하지만 제주를 비롯해서 전국 16개 도시에서 순차적으로 치러진 대국민 이벤트인 경선에서 노무현은 조직 및 자금의 열세에도 불구하고 서서히 존재감을 드러내기 시작했다. 제주 경선 3

위를 시발점으로 하여 울산 경선 1위, 그리고 광주에서 1위를 차지하면서 거센 노풍이 불기 시작한 것이다. 그에 대한 선풍이 불기 시작한 이유는 그가 구호로 내걸었던 '동서東西 화합和合'이라는 모토가 위력을 발휘했기 때문이었다. 경남 출신인 그는 부산에서의 패배를 교훈으로 삼아서 지역 감정의 골을 메울 적임자는 자신뿐이라는 점을 강조했고, 당원들이 그를 지지하기 시작한 것이다.

하지만 경선 과정에서 노무현은 다시 한 번 위기를 맞게 된다. 대세론을 내세우며 후보 중 선두주자였던 이인제가 총선 때 한나라당 허태열 후보가 써먹었던 케케묵은 지역 감정을 다시 들고 나온 것이었다. 게다가 그는 야비하게도 한술 더 떠서 색깔론까지 들고 나왔다. 노무현의 부인인 권양숙 여사의 부친이 좌익 활동을 했다는 이유를 들어서 빨갱이에게 대권大權을 내주어서는 안 된다는 논리를 폈다. 같은 당내 경선 후보자로서 도저히 넘어서는 안될 선을 넘어버린 것이다. 하지만 이인제는 본래 그런 파렴치한 인간이었다. 그는 한나라당 경선에 불복하고 당적黨籍을 바꾸어 민주당에 입당했던 전형적인 기회주의자機會主義者였던 것이다. 초록은 동색同色이라고 했던가?

이인제는 인천 등 수도권 경선에서 색깔론을 제기한데 이어서 "노무현이 대권을 잡을 경우 조중동 등 주요 일간지들을 국유화國有化할 것"이라는 근거 없는 주장을 되풀이 했다. 이를 듣고 있던 노무현은 또 다시 참담한 심정에 빠져들지 않을 수 없었다. 자신의 가족까지 들먹이며 흑색선전黑色宣傳을 일삼는 이인제의 막가파식 행동에 분노가 치밀 지경이었다. 하지만 노무현은 감정을 억제하고 정공법正攻法으로 반격에 나섰다. 연단에 선 그는 당원 청중들에게 이렇게 호소했다. "아내의 아버지인 장인께서 좌익 활동을 한

것은 맞는 말입니다. 하지만 그렇다고 해서 내가 그런 아내를 버려야만 하겠습니까?" 그는 아내를 지키겠다는 굳은 의지를 보임으로써 당원들의 심금을 울렸다. 결국 그는 최종 경선에서 새천년민주당의 제16대 대선 후보로 선출되었고, 마침내 그해 겨울 대선에서 유력 후보였던 이회창을 누르고 승리를 거두었다. 개혁改革과 통합統合을 부르짖었던 그의 외침에 국민들이 화답을 한 것이다. 참으로 감동적인 반전反轉의 드라마가 아닐 수 없었다.

　이상 이 다큐멘터리의 내용을 대략적으로 살펴보았는데, 여느 다큐멘터리들이 그랬듯이 기록 필름들 중간 중간에 노무현의 측근이었던 사람들의 인터뷰를 삽입하여 생생한 증언을 곁들이고 있다. 그 가운데 중요한 대목 몇 가지만 들면, 우선 무엇보다도 유시민 전 보건복지부 장관의 멘트가 귀를 쫑긋하게 한다. 당시 그는 선거 참모로 일하면서 알게 된 고故 김근태 의

원을 '존경하는 사람'이라고 치켜세운 반면, 노무현을 '사랑스런 사람'이라고 평가했다. 그에게는 무언가를 해주고픈 사람이라는 말도 덧붙였다. 그만큼 노무현에게는 사람들을 매료시키는 무언가가 있었다. 사람다운 세상을 만들고자 했던 노무현의 정치철학을 한마디로 집약한 셈이었다. 한 정치적 야심가의 사심섞인 인터뷰도 눈길을 끈다. 그는 자신이 모종의 사건으로 검찰의 조사를 받을 때, 노무현 대통령이 세간의 눈초리를 무시하고 자신을 "동업자이자 동지"라고 거들어 준 것에 대하여 깊은 감명을 받았다고 토로한다.

한 인터뷰이interviewee는 "이명박은 대통령이 되고나서 재래시장에서 어묵을 먹는 쇼를 벌였고, 박근혜도 역시 대통령이 되고나서 떡볶이를 먹는 쇼를 벌였다"고 지적한다. 하지만 노무현은 그러지 않았다. 그런 '영혼 없는 제스처'로는 서민들의 고달픈 삶과 애환을 달래줄 수 없음을 누구보다도 잘 알고 있었기 때문이었다. 1982년부터 노무현의 운전기사로 일했던 노수현 씨는 자신의 신혼여행 때 노무현 변호사가 자기 부부를 뒷좌석에 태우고 손수 운전을 해주었다는 가슴 따뜻한 에피소드를 전하기도 한다.

하지만 나는 이들 가운데 매우 특이한 이력의 소유자(이화춘)에게 더 관심이 갔다. 그는 당시 중앙정보부에서 일하던 이른바 '요원'이었는데, 당시 요주의 인물이던 네 명의 운동권 변호사들을 사찰査察하는 역할을 맡고 있었다. 이 가운데는 문재인 당시 변호사도 포함되어 있었다고 한다. 어쨌든 이화춘은 노무현의 일거수일투족을 지켜보다가 어느새 그의 인간적 면모에 빠져버렸다고 고백한다. 특히 그는 노무현이 건네준 '광주사태' 관련 비디오를 몰래보고 커다란 충격을 받았다고 말한다. 이후 그는 자신의 본연의 임무(?)를 망각한 채 오히려 노무현을 보호하는 처지에 서게 된 자신을 발견

하게 되었다고 했다. 당시 빈번했던 시위현장에 나타난 노무현을 어떻게 해서든 경찰의 강압으로부터 지켜야한다는 생각을 갖게 된 것이었다. 이처럼 노무현은 그 누구라도 그의 인간적 면모에 끌리게 하는 힘을 갖고 있었다. 노무현 전 대통령이 서거逝去 사흘 전 자신을 찾았다는 그의 증언은 의미심장하게 다가온다.

대통령 후보 경선과정 중 벌어졌던 극적인 순간들을 연대기적으로 따라가던 이 영화는 노무현이 대통령에 당선된 환희歡喜의 순간을 미쳐 만끽할 새도 없이 곧바로 국장國葬으로 넘어간다. 차마 마주하고 싶지 않았던 장면이 아닐 수 없다. 사실 나는 이 영화가 개봉되었을 때 일부러 감상을 피했다. 나는 노사모의 회원이 아니었지만, 그가 당시 다수파 야당의 횡포로 탄핵彈劾을 당하고, 퇴임 이후 사지死地로까지 내몰렸을 때 분개하고 절규했

다. 그럼에도 불구하고 한 위대한 인간의 비극悲劇, 나아가 한국 현대사의 비극적 순간을 새삼 반추反芻하고 싶지 않은 심리가 작용했던 탓이다. 하지만 현실을 직시해야 할 때 마냥 피할 수만은 없었다. "왜 이 시점에서 다시 노무현인가?"라는 질문을 이 영화는 던지고 있다. 특히 노무현의 정치적 유산遺産을 이어받고 있는 문재인이 현직 대통령이 된 오늘날의 시점에서 이 영화는 시사를 하는 바가 많다.

　이 영화는 이미 살펴보았듯이, 노무현의 재임 중 업적業績에 대해서는 일언반구一言半句의 언급도 없다. 그것에 대해서 말하려면 또 다른 다큐멘터리 내지 극 영화 한편이 더 필요할 지도 모른다. 하지만 나는 영화 속에서 다루지 못한 것들이 다름 아닌 문재인 대통령이 채워 넣고 완성해야할 공백空白이라고 감히 주장하고 싶다. 노무현은 대통령으로서 절대적 권력을 행사하려하기보다는 그것을 해체하려한 미완未完의 대통령이었다는 것이 나의 판단이다. 그리하여 그가 해결하려고 했던 적폐積弊가 여전히 산적해있고, 그것을 청산해야 할 과제가 문재인 대통령에게 남겨진 것이다. 한나라당의 잔재殘滓인 자유한국당의 홍대표는 여전히 지역 감정 조장과 색깔론으로 문재인 정부를 헐뜯고 있다. 우리가 동서화합을 넘어서 남북화합이라는 지상 과제를 이룩하기를 진정으로 바란다면, 노무현이 외친 개혁과 통합의 정신을 오늘날 새롭게 조명해야한다고 이 영화는 역설하고 있는 것이다.

  사실 이 다큐멘터리는 미학적으로 볼 때, 완성도가 그리 뛰어나다고는 할 수 없다. 그럼에도 불구하고 이 다큐멘터리는 깊은 울림을 준다. 그 이유는 영화 속 주인공의 '삶과 죽음'이 너무나도 드라마틱하기 때문이다. 이 이상의 내러티브가 또 있을까? 이 영화를 본 한 네티즌은 "마지막 연설장면은 소름이 끼친다. 노무현을 다시 생각하고 미래를 봐야할 때다"라고 소감을 피력했다. 또 한 네티즌은 "먹먹하고 울컥하던 영화. 중간 중간 나오던 탄식…, 아! 그만큼 후회되고 죄송하던 영화였다"라고 적기도 했다. '사랑스런 바보 노무현'이 우리 곁을 떠나고 강산江山이 한번 바뀌었다. 그리고 그는 자신의 유언遺言대로 '자연의 한 조각'이 되었다.

김 시 무 _ kimseemoo@daum.net
영화평론가. 평론집 『영화예술의 옹호』(2001년). 감독론 『Korean Film Directors: Lee Jang-ho』(Kofic, 2009(영문판)). 부산국제영화제연구소 소장과 책임연구원, 한국영화학회 회장 등 역임. 이장호영화연구회 회장.

이준익 감독

감독/ 이준익
촬영/ 이제훈, 최희서, 김인우,
야마노우치 타스쿠,
요코우치 히로키
각본/ 황성구
제작/ 김성철
촬영/ 정성민
제작/ 박열문화산업전문유한회사

고증의 미학
박열이라 부르고 가네코후미코라 읽는다
새롭고 신선한 여성캐릭터의 발명
일제의 모습과 촛불 직전의 우리 정부 모습이 묘하게 비슷하다
자신의 의지에 따라 사는 인물, 『가네코 후미코』의 발견
사회적 트렌드로 역사적 인물들을 소환
다큐와 픽션, 대중성과 작가적 탐색 사이에서의 현명한 성공.
우리가 알지 못한 한 사람의 큰 모습을 나타냈다.
가장 치열한 근대적 주체이자 세계의 모순과 마주한
형형한 인물 박열과 후미코를 관객 앞에 생생하게 펼쳐놓는다.

― 추천위원의 선정이유 中

사랑과 저항,
혹은 겹쳐지는 역사와 영화의 둘레

— 이준익 감독 〈박열〉

임대근

박열, 朴烈은 이름 그대로 치열하게 살다 갔다. 영화는 그의 치열했던 삶의 궤적을 좇아간다. 그의 삶은 사랑과 저항이라는 두 낱말에 모여 있다. 그는 가네코 후미코金子文子와 사랑했다. 가네코 후미코는 그의 삶과 사상의 동지였다. 그들은 함께 저항했다. 제국주의와 국가주의, 남성주의에 대한 저항이었다.

분할 통치와 편 가르기

영화는 우리를 1923년 도쿄로 데려간다. 영화는 시작과 함께 자신이 "고증에 충실한 영화"이며, "등장인물은 모두 실존 인물"임을 선언한다. 역사와 영화의 둘레를 가능한 가깝게 겹쳐놓으려는 이 선언은 곧바로 관객의 동질성을 구성해낸다. 관동대지진으로 생겨난 위기를 돌파하기 위해 만들어

지는 분할 통치, 디바이드 앤 룰의 기술. "조선인이 지진을 틈타 우물에 독을 타고 불을 지르고 다닌다"는 유언비어를 퍼뜨리는 내무대신 미즈노 렌타로水野鍊太郎의 궤계는 조선과 일본을 분명하게 획분한다. "십오 엔 오십 전"이 자연스럽지 않다는 이유만으로 무자비하게 조선인을 학살하는 차별화 전략은 정체성 검열을 통해 "너는 어느 편인지"를 묻는다. 관객은 영화와 더불어 모두 박열의 편이 된다.

관객의 동질성을 구성하는 방식

이런 구별 짓기는 조선과 일본을 갈라놓는 방식으로 이뤄진다. 영화는 성공적인 구별 짓기를 위해 두 가지 선택을 수행한다. 하나는 아나키스트로서 박열의 색깔을 조금 묽게 하는 선택이다. 물론 박열은 이렇게 말한다. "천

황 같은 기생충을 살려두는 건 인류, 사회, 민족의 참된 평화를 해치는 거 아냐?" 또 이런 말도 한다. "일본뿐 아니라 우주 만물을 멸망시키는 게 내 꿈이다." 민족이 아니라 인류와 사회를 앞세운 건 과연 아나키스트답다. 그러나 영화는 조선인을 차별하고 학살하는 참혹한 일본 제국주의와 그에 저항하는 박열에 더 관심을 갖는다. 물론 그건 조선인 아나키스트가 가질 수밖에 없는 숙명이었다. 또는 스물 남짓한 젊은 아나키스트에게 무르익은 사상을 기대하기엔 무리일 수도 있다. 박열은 국가와 정부를 악으로 간주하는 아나키스트로서 사상가보다는 조선인으로 일본 제국주의에 저항하는 투사여야 했다. 재판정에 한복을 입고 임하겠다는 그의 고집이 관철되는 장면은 이런 주장을 상징적으로 뒷받침한다. 그는 재판정에서 눈물을 흘리며 이렇게 외친다. "얼마 전 간토대지진의 조선인 학살을 기억한다. 죽창과 일본도

로 찌른 것은 기본이오, 양손을 묶어 강 속에 던지고 불 속에 산 채로 집어 던지고 오토바이에 몸을 묶어 죽을 때까지 달렸다. 그리고 3·1만세운동 때 처럼 조선인 대학살도 묻으려 한다. 하지만 뜻을 이루지 못할 것이다. 묻으려고 발악할수록 드러나는 것이 자연의 순리요, 역사의 흐름이다. (…) 너희 천황을 지키기 위해 육천 명이 넘는 조선인이 이유 없이 죽었다. 이의 있는가!" 영화의 이런 선택은 아나키즘의 급진적인 주장이 조선 대 일본의 이분법보다 관객의 동질성을 구성하는 구별 짓기 과정을 수월하게 수행할 수 없기 때문이다. 영화는 그렇게 제국주의에 대한 적극적 저항, 국가주의에 대한 저항을 형상화한다.

다른 하나는 바로 카네코 후미코의 등장이다. 조선과 일본을 갈라놓는 구별 짓기는 이 영화의 관객에게는 어쩌면 선험적인 의식이다. 선험적 의식은 일상적이고 관습적이기 때문에 창의적이지 않다. 가네코 후미코는 그 일상성과 관습성을 깨버리기 위한 장치다. 저항의 대상은 일본 제국주의일 뿐, 일본 민중은 아니라는 인식을 통해 단조롭지 않은 관계를 구성해낸다. 그런 면에서는 자발적으로 박열을 변호한 후세 다츠지布施辰治의 존재도 마찬가지다. 역사적 인물로서 2004년 대한민국 건국훈장까지 수여받은 그 또한 일본의 양심적 지식인으로 자리매김된다. 무엇보다 가네코 후미코는 일본인임에도 불구하고 박열의 애인이자 동지로서 저항의 삶을 살아간다. 어쩌면 아나키스트로서의 면모는 그녀에게서 더욱 도드라진다. '폭탄 사건'을 숨긴 박열에게 싸다구를 날리면서 큰소리를 칠 때, 그건 남성주의에 대한 저항의 한 장면이다. 자서전에서 자신이 어떻게 처절하게 차별화되면서 밑바닥 인생을 살아왔는가에 대한 고백은 아나키스트로서 그녀를 합리화한다. 카네코 후미코는 조선 대 일본이라는 이분법 구도를 벗어나서 민중 대 지배자라는 새로운 구도를 구성함으로써 대립과 저항의 이중 구조를 만들어낸다. 가네코 후미코가 지바 감옥으로 이송된 뒤, 비현실적인 큰 창문으로 밝은 빛이 들어올 때, 그건 이 영화의 가장 밝은 장면이 된다. 저항의 결과가 얼마나 큰 빛을 가져올 수 있는지에 대한 영화적 고백이다. 그건 그녀의 삶이 결코 어둡지 않았다는 위로이기도 하다. 영화는 그렇게 남성주의에 대한 저항, 나아가 불합리한 국가주의와 무자비한 제국주의에 대한 저항을 형상화한다.

"너는 누구냐?"라는 질문으로 '원작'을 설명하기

역사와 영화의 둘레를 가깝게 겹쳐놓으려는 영화의 시도는 때때로 '원작에의 충실성' 여부와 같은 논란을 불러일으킬 수 있다. 영화의 독립성과 상

상력보다는 '원작'으로서의 역사에 얼마나 충실한가를 완성도 판단의 근거로 삼으려 할 수 있기 때문이다. 시작과 더불어 등장하는 이 영화의 자막은 그런 점에서 또 다른 논의의 시작점이다. 다만, 영화가 그걸 넘어설 수 있었던 까닭은 박열이 누군가를 반복적으로 묻는 과정 속에서 잘 드러난다. 다시 말하면 관객은 이 영화의 '원작'으로서 역사를 잘 모르고 있었다는 뜻이 된다. 이 영화는 관객에게 '원작'을 설명하는 과정을 거듭함으로써 사실은 역사와 영화의 둘레를 겹치려는 시도를 영화적 상상력이라는 둘레로 치환해 버린다.

  영화의 시작과 더불어 소개되는 인물, 박열은 그의 시와 함께 등장한다. 한 허름한 노동자, 인력거꾼의 형상에 겹쳐지는 시 한 대목. "와타시와 이누코로데아루." 이 말은 직유가 아니다. 은유라 하기엔 직설이다. 박열은

자신을 이렇게 규정했다. 그러므로 '개새끼'로서 그에게는 어떤 선택도 지금보다는 나을 것이다. 박열이 차별과 구속과 억압과 절망 속에서도 자유와 해방, 여유와 해학을 온몸으로 내뿜을 수 있었던 까닭은 바로 그 자신을 '개새끼'로 규정했기 때문이다. 급식을 거부하고, 공정한 재판을 요구하고, 심지어 신문 중에 연인과 더불어 사진까지 찍으려 했던 낭만적 인간이 등장할 수 있는 까닭이다. 그러므로 영화는 끊임없이 박열이 누구인가를 규정하려고 한다. '불령선인', 그러니까 "말 안 듣는 조선인"도 그 중 하나다. 박열에 대한 정체성 확인의 절정은 신문 과정에서 만들어진다. 예심판사 다테마스의 질문들은 박열의 이름, 나이, 직업, 주소 등을 파고든다. 교차 편집이 이어진다. 재판정 또한 그런 과정의 변용이다. 신문이란 정체성 확인의 과정이다. 우리는 정체성을 확인하려는 자와 확인 받는 자 사이에 존재하는 권력 관계 속에서 다시 한 번 박열의 편이 된다. 이건 다르게 말하면 '원작'을 소개하는 방식으로 관객에게 접근한 결과물이기도 했다. 그러나 영화는 그 권력 관계를 통쾌하게 뒤집어버리는 박열의 면모를 통해 관객을 위로한다.

다시, 사랑과 저항

무엇보다 우리는 영화를 통해 소중한 생각을 새롭게 되뇌곤 한다. 영화적 상상력에 관한 논의, 혹은 역사와 영화의 둘레 겹치기에 관한 논의를 남겨두더라도 영화는 이런 말을 곱씹게 해주었다는 점만으로도 충분한 구실을 했다. "원래 국가나 민족이나 군주라 불리는 것은 개념에 지나지 않는다. 개념뿐인 군주에게 권력과 신성함을 부여한 것이, 일본의 천황과 황태자다. 인간은 인간이라는 자격 하나로 평등한 권리가 주어져야 한다." 이걸 실천할 수 있는 사람은 누구란 말인가. 그건 사랑과 저항이라는 자격을 갖춘 자여야 한다.

임 대 근 _ dagenny@daum.net
한국외국어대학교 교수. 사단법인 아시아문화콘텐츠연구소 대표. 중국영화, 대중문화, 문화콘텐츠 등에 관심을 갖고 강의, 번역, 연구 등의 작업을 수행하고 있음. 한-중 영화의 초국적 교류와 상호 관객성 문제에 관심을 갖고 있음.

변성현 감독

불한당
나쁜 놈들의 세상

감독/ 변성현
출연/ 설경구, 임시완, 김희원,
전혜진, 이경영, 문지윤
각본/ 변성현
제작/ 이진희
기획/ 이진희
촬영/ 지상빈
제작/ CJ엔터테인먼트,
폴루스(주)바른손

장르물의 재미에 빠져 한바탕 잘 놀았네!
사랑함으로 파멸되는 감정의 질곡을 퀴어 멜로의 서사 안에서
설득력 있게 담아내다.
이 정도 대놓고 똥폼 잡는 영화도 자주 나와줘야 한다.
상황만 믿던 불한당들이 이번엔 사람을 믿어보려 했던 순간을
담아낸 영화. 그 믿음이 성공과 실패 사이에 묘하게 걸쳐있어
더욱 흥미롭다.

— 추천위원의 선정이유 中

80년대식 느와르로 변주한 믿음과 배신의 절묘한 쌍곡선

— 변성현 감독 〈불한당: 나쁜 놈들의 세상〉

임정식

〈불한당: 나쁜 놈들의 세상〉(감독 변성현, 이하 〈불한당〉)은 '좋은' 영화가 아닐지도 모른다. '좋은'이라는 단어를 어떻게 해석하느냐에 따라 달라지겠지만, 이 형용사의 일반적인 스펙트럼 안에서는 관객들이 〈불한당〉을 '좋은' 영화로 선택하지 않을 수도 있다. 그런데 '매력적인'이라는 수식어를 붙인다면, 〈불한당〉을 2017년의 가장 '매력적인' 영화로 꼽는 데 주저할 이유가 없다. 〈불한당〉은 사건의 개연성이나 인과 관계가 헐겁고, 교도소 내 '짝짝이 대회'처럼 몇몇 장면은 과장돼 있거나 비현실적이다. 하지만 전체적으로 "똥폼"임을 숨기지 않는 개성적인 스타일은 톡 쏘는 맛이 있다.

〈불한당〉은 굳이 '좋은' 영화가 되려고 애쓰지 않는 것처럼 보인다. 관객들이 그저 상업적인 장르 영화라는 마당에서 한바탕 신나게 즐길 수 있도록

명석을 깔아줄 따름이다. 이때 여러 장르의 특징들을 뒤섞고 변주해서 밥상에 올려놓은 점이 색다르다. 전반부의 교도소 액션 장면은 조명이 대체로 밝고 와자지껄하며, 후반부는 느와르 풍으로 어둡고 음울하게 표현하는 식이다. 그래서 〈불한당〉이 입맛에 안 맞거나 불편할 수도 있지만, 모름지기 장르물이라면 이만한 배짱은 있어야 하지 않을까?

〈불한당〉에서는 긍정적인 의미에서 '잡종'의 향기가 난다. 이질적인 것들이 서로 어긋나 있으면서도 절묘하게 어우러져 매력을 발산한다. 영화의 장르만 해도 그렇다. 〈불한당〉은 범죄, 액션, 느와르이면서도 각 장르의 속성을 조금씩 변주하고 있다. 장르의 혼종성과는 조금 다른 차원이다. 〈불한당〉은 또 〈무간도〉나 〈신세계〉와 같은 언더커버 계열로 묶을 수 있지만, 그러면서도 언더커버 영화의 일반적인 서사에서 조금 비껴나 있다.

〈무간도〉와 〈신세계〉에서는 위장 잠입한 인물들이 자아 정체성의 혼란

속에서 신분이 들통날까 봐 두려워 노심초사한다. 비밀 유지의 긴장감이 서사의 중심축이 된다. 그러나 〈불한당〉의 현수는 비교적 초반부에 재호에게 "형, 나 경찰이야."라고 말해버린다. 보통의 경우라면, 그 순간 매듭이 풀려야 한다. 〈무간도3〉에서 유건명은 조폭 출신임이 드러나자마자 최후를 맞이하는데, 그 장면은 결말 부분에서 나온다. 〈불한당〉에서는 현수가 고백한 순간부터 이야기가 본격적으로 시작된다. 그 이후 상황도 상식을 위반한다. 경찰의 비밀 요원 현수와 조폭의 2인자 재호는 매우 친밀하게 지낸다. 이런 관계는 교도소 안에서도, 출소해서도 변하지 않는다.

그럼 두 사람은 정말 친구가 된 것일까? 그리고 동성애 코드로까지 발전한 것일까? 충분히 그럴 수 있다. 현수는 재호에게 "나는 형 믿어."라고 말하는데, 그의 이 말은 진심이라고 여겨진다. 그런데 현수는 여전히 경찰이다. 그는 천 팀장의 지시를 받으며 움직이고, 사상 검증(?)까지 통과한다. 재호는 현수를 챙겨주지만, 현수가 경찰이라는 사실을 잊은 것은 아니다. 이 상황이 명쾌하지 않다. 그러니까 둘 사이에는 투명한 막이 쳐져 있다.

〈불한당〉은 믿음과 배신에 관한 영화이다. 이 영화에서는 배신이 일상적이고 연쇄적으로 일어난다. 배신하지 않는 인물이 한 명도 없다. 현수가 경찰임을 털어놓은 것은, 상사인 천 팀장에 대한 배신이다. 그렇다고 현수가 경찰 배지를 반납하고 재호의 품에 안기는 것은 아니다. 재호는 현수를 '감기'(제 편으로 만드는 것) 위해서 현수의 어머니를 뺑소니 교통사고로 위장해 죽인다. 재호는 나중에 "그런 일 없었으면 니가 지금 내 곁에 없었겠지."라고 에둘러 자백하지만, 그뿐이다. 재호는 또 고병철 회장을 '작업'함으로써 그를 배신한다. 그 전에 고병철이 재호를 '작업'하기 위해서 김성한이라는 조폭을 교도소에 들여보낸 것도 배신이다. 조연인 고병갑, 천 팀장, 고병

철 회장도 모두 누군가의 뒤통수를 친다. 특이한 점은, 각 인물들의 성격이 배신하거나 배신을 당한 이후에도 변하지 않는다는 점이다.

　이렇게 음모와 배신이 난무하는 상황에서도 재호와 현수 사이에는 끈적 끈적한 동질감이 있다. 구체적으로는 "버려진 새끼들"이라는 정서적 일체 감이다. 효자인 현수는 어머니의 죽음으로 인한 박탈감, 천 팀장으로부터 버림받았다는 배신감으로 괴로워한다. 이때 재호가 자신의 과거사를 들려 준다. 열두 살 때 엄마가 독극물로 자기를 죽이려 했던 사건이다. 그리고 나 서 "나랑 일해 볼래?"하고 유혹한다. 현수는 이 순간에 자신이 경찰임을 고 백한다. 현수는 그만큼 착한 놈이다. '어머니의 부재'라는 똑같은 상처 때문 일 수도 있다. '착한 놈'인 경찰과 '나쁜 놈'인 조폭의 브로맨스가 유지되는 배경이다.

　그래서 재호와 현수의 관계는 복잡해진다. 바로 여기에 〈불한당〉의 묘미가 있다. 재호와 현수가 서로를 대하는 태도는 이중적이다. 재호는 현수를 믿고 챙겨주지만, 교통사고의 기획자이다. 현수가 재호를 대하는 태도 역시 이중적이다. 그는 재호를 믿지만, 조폭의 심장부에 접근하기 위한 도구이기도 하다. 이처럼 인물의 이중성과 이중성이 교차하고, 여기에 배신과 배신이 사슬처럼 이어진다. 정서적 동질감과 인간적인 믿음, 서로를 이용하려는 현실적 목표가 뒤엉켜 있다. 게다가 〈불한당〉은 잦은 플래시백으로 현재와 과거를 교차해서 보여주는데, 이로 인해 배신과 믿음 사이의 줄타기가 더 아슬아슬하게 느껴진다.

　〈불한당〉이 지닌 이중성, 부조화 속의 조화라는 특징은 생선회 에피소드를 통해 선명하게 제시된다. 어느 항구의 노천 테이블. 병갑은 생선의 눈알

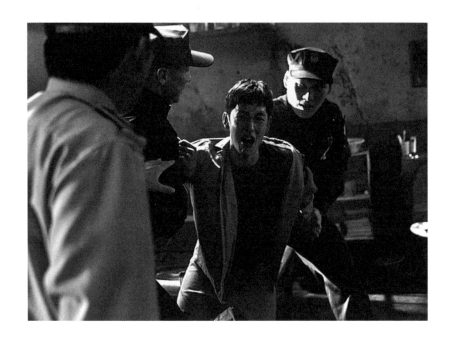

이 자기를 빤히 쳐다보는 것이 무서워서 회를 못 먹는다고 말한다. 권총이 돌이나 칼보다 '작업'의 죄의식을 줄여준다고도 말한다. 곧이어 병갑의 테이블 건너편에서 회를 먹던 조폭이 권총으로 사살된다. 병갑은 아무일 없었다는 듯 자리에서 일어난다. 그리고 몸을 떨면서 깻잎으로 생선의 눈알을 가린다. 몇 분 후에 죽일 조직원 앞에서 천연덕스럽게 생선 눈알에 대한 감정과 '작업' 도구의 변천사를 떠들다니, 〈불한당〉의 인물과 서사가 지닌 특징을 압축해서 보여주는 오프닝이다.

〈불한당〉에는 몇 가지 인상적인 대사가 나온다. 인물의 내면과 이야기의 실타래를 풀어주는 언어들이다. 재호는 죽어가면서 현수에게 "나 같은 실수하지 마라."라고 말한다. 그는 이전에도 여러 차례 "사람을 믿지 마라. 상황을 믿어야지."라고 충고했다. 그런데 재호는 사람을 믿음으로써 파국을 맞이한다. 재호는 현수가 자신을 둘만의 아지트로 불러낸 상황이 어떤 의미인지 직감하고 있었다. 그러나 재호는 현수를 만나러 간다. 재호가 사람을 믿은 대가는 죽음이다. 그래서 유언으로 말한다. "사람을 믿지 마라." 이때 현수의 내면이 어떠할지는 충분히 짐작할 수 있다.

그렇다면 재호와 현수는 서로를 파국에 이르게 만든 것일까? 표면적으로는 그렇다. 하지만 두 사람의 내면을 찬찬히 더듬어보면, 꼭 그렇지는 않다는 것을 알 수 있다. 현수의 행동에서 단초를 찾을 수 있다. 현수는 천 팀장을 향해 총알이 바닥날 때까지 총을 쏜다. 그런 후에 차가운 길바닥에 쓰러져 마지막 숨을 헐떡거리는 재호의 입을 틀어막아서 숨을 거두게 만든다. 평범한 경찰이었다면, 쓰러진 사람이 재호가 아니었다면, 현수는 다르게 행동했을 것이다. 섣부른 추측일 수 있지만, 현수는 아마도 훗날 재호의 길을 걷지 않을까 싶다.

재호와 현수의 주변 인물을 검토하면, 두 사람의 관계를 조금 더 이해할 수 있다. 병갑과 천 팀장은 재호와 현수의 대척점에 있는 인물이다. 신분만 다를 뿐, 두 사람에 미친 영향은 똑같다. 재호와 고아원 동기인 병갑은 갈대와 같다. 그는 생존을 위해서, 출세를 위해서 고병철과 재호 사이를 수시로 넘나든다. 천 팀장은 목표 달성과 출세만 추구하는 냉혈한이다. 재호와 현수는 병갑과 천 팀장에게 없는 면모를 서로에게서 발견하고, 똑같은 상처를 갖고 있다는 사실을 알아내고, 서로 연민의 감정을 갖게 된다. 이 연민이 믿음으로 확장되는 것이다.

현수는 어머니의 죽음의 비밀을 알기 전까지는 재호에 대한 믿음을 저버리지 않는다. 현수는 '재호나 병갑은 죽었다 깨어나도 이해 못 하는' 착한 놈이다. 재호는 상대의 눈을 빤히 쳐다보면서 살인을 저지르는 '나쁜 놈'이다.

그런데 현수에게만은 착한 놈이 되어 그에 대한 믿음을 저버리지 않는다. 재호의 비극은 이 지점에서 시작되고, 영화는 권선징악의 틀을 벗어난다. 〈불한당〉이 재호에 초점을 맞춰 이야기를 전개했다면, 결말의 페이소스가 조금 더 진해졌을 것이다. 만약 그랬다면 〈불한당〉은 지금보다 덜 '매력적인' 영화가 됐을 것이다.

〈불한당〉의 영화적 매력을 보여주는 소품의 하나는 빨간 스포츠카이다. 현수가 교도소 문을 열고 나온 황량한 들판. 조폭들이 병풍처럼 도열해 있고, 밝은 햇살 아래 멀리 빨간 스포츠카가 서 있다. 깔끔한 수트에 포마드를 발라 빗어 넘긴 헤어스타일, 선글라스를 낀 재호는 또 어떤가. 1980년대 홍콩 느와르 스타일인 것을 고백하는 듯하다. 그래서 "이건 뭐지?" 하는 생각이 들게 되고, 빨간 스포츠카는 "〈불한당〉은 당신의 허를 찌르는 영화입니다."라고 알려주는 표지판 역할을 한다. 이처럼 〈불한당〉은 복고풍 스타일 속에서 각 장르의 다양한 변주를 통해 보기 드문 매력을 뿜어낸 영화이다.

임 정 식 _ dada8847@naver.com
영화평론가. 스포츠조선 연예부장·문화팀장. 고려대·한경대 강사.
『대중스타 이미지 탐구 ①장동건 ②김혜수』(공저), 『스포츠영웅의 비밀』 등의 저서가 있음.

장준환 감독

1987

감독/ 장준환
출연/ 김윤석, 하정우, 유해진,
김태리, 박희순, 이희준
각본/ 김경찬
제작/ 권미경
촬영/ 박세희
제작/ 우정필름

극 영화라기보다는 감성적인 다큐멘터리
대중성과 역사성 사이에서 장면 하나 하나 고심한 흔적이 역력하다.
영화의 내용처럼 일정 부분 민주주의를 실현한 형식의 힘
젊은 친구들에게 한국의 민주화는 밤새 갑자기 내린 눈이 아니라는,
'종철에서 한열까지'
〈살인의 추억〉을 넘어, 한국 영화사의 기념비적 걸작 대중 영화로
비상하다.
주인공은 없다. 항쟁은 이제 시작이다.
일련의 한국영화들이 인물을 구현할 때 요구되는 적절한 거리감, 그
본보기를 잘 보여준 것 같다.
뒤돌아보되, 흔들리지 않고

— 추천위원의 선정이유 中

〈1987〉이 2017년 '최선의 영화'인 이유

— 장준환 감독 〈1987〉

박유희

1. '역사성과 대중성'이라는 해묵은 화두

〈1987〉은 1987년 1월부터 6월까지 전두환 독재정권과 싸웠던 기억을 30년 만에 재현한 영화다. 대한민국이 2017년 광장을 경험한 직후에 나온 영화라서 이 영화에 대한 각계의 관심은 각별했다. "6월항쟁의 완성은 촛불항쟁"이라는 말과 함께 문재인 대통령까지 영화를 관람하면서, 〈1987〉은 〈택시운전사〉에 이어 장기흥행하는 2017년의 '정치적 역사영화'가 되었다. 그러다 보니 이 영화를 대하는 관객의 기대와 반응은 다양했다. 정치적 입장, 세대, 그리고 개인의 경험에 따라 〈1987〉을 바라보는 시각과 심정이 각양각색일 수밖에 없기 때문이다. 이를 예상하고 대응한 듯 〈1987〉에서는 사실의 재현, 극적 요소의 첨가, 스타의 활용 등에서 주의 깊은 균형감각이 발휘된다. 관람객 평점이 9점을 넘기고 기자·평론가 평점도 8점을 상회하는

것은 이 영화가 지닌 적실한 시의성과 치밀한 짜임새, 이를 통해 성취된 폭넓은 공감대에 대한 화답일 것이다.

그럼에도 이 영화에 대한 기대가 워낙 컸던 탓인지 한편에서는 비판의 목소리도 작지 않았다. 애초에 '비호감'이었던 대중은 차치하고라도, 1987년 광장의 주역이었고 이 영화에 가장 관심이 컸다고 할 수 있는 386세대도 만족스러워하지만은 않았다. 그들 대부분은 2017년 광장에도 참여했던 시민들로 자신들의 젊은 날이 영화화되었다는 것에 감동했고 이런 '정치 영화'가 편안하게 개봉될 수 있는 현실에 안도했다. 그러면서도 1987년 12월 대통령 선거 결과를 아프게 기억하고 있기에 이 영화가 지닌 신파적 과잉과 희망적 국면으로 마무리되는 것에 불만을 표시했다. 한편 젊은 세대의 경우에는 사회에서 기득권을 지닌 386세대들이 자기들 시대를 자축한다며 곱지

않은 시선을 보내는 경우도 적지 않았다. 이러한 반응에는 1987년의 광장과 2017년의 광장을 역사적으로 연결시키며 〈1987〉을 현재의 정치 상황과 겹쳐놓고 바라보는 관점이 깔려 있다.

여기에서 영화의 역사성과 대중성에 대한 해묵은 질문이 새삼 제기된다. 이 영화에는 약 145억이 투자되었고 15세 관람가로 개봉하였다. 손익분기점을 넘기려면 청소년부터 어르신까지의 취향을 두루 충족시켜 400만 이상을 동원해야 한다는 이야기다. 폭넓은 관객을 수용하기 위해서는 기존 영화에서 성공을 거듭해온 관습적 요소를 활용하기 위해 사실성을 희생할 수도 있다. 올해 영화로는 〈군함도〉와 〈택시운전사〉가 그러한 선택을 보여준 대표적인 예일 것이다. 그런데 〈군함도〉는 역사의식 논란에 휘말려 흥행이 저지된 데 반해, 〈택시운전사〉는 사소한 일로 용납되며 '천만 영화'가 되었다. 이러한 현상에서 일정한 규칙을 발견하기는 어렵다. 그것은 역동적인 시의성의 문제이기 때문이다. 그러나 그렇다고 어차피 도긴개긴, 복불복이려니 하며 손 놓고 바라볼 수만도 없는 화두이기도 하다. 영화 제작비가 높아지면서 대중성과의 조응 문제가 영화에서 더 중요해지고 있고, 성공한 관습 안에서 움직이려는 경향 또한 강해지고 있다. 민주화가 진전되며 영화 재현에 대한 반응과 평가에서 계급과 세대는 물론 각자의 트라우마, 정치적 견해, 현재의 소망 등이 착종되어 나타나는 개인의 현시가 두드러지고 있다. 이러한 상황에서 역사성과 대중성, 그 임계는 어디이며 비평은 어떻게 판단해야 하는가? 2017년에 쏟아져 나온 역사영화들은 이러한 질문을 계속 불러일으켜왔다. 그리고 연말에 개봉한 〈1987〉이 그 질문들의 집열판이 되어 해답을 일단락 지은 것처럼 보인다.

2. 혁명 드라마, 그 이상의 잉여

〈1987〉은 사건, 장르, 코드가 정교하게 직조된 영화다. 사건은 1987년 1월 박종철 죽음의 진실이 세상에 알려지는 것에서 시작하여, 당해 6월 국민의 저항이 거세지자 정권이 최루탄을 직사해서 이한열이 쓰러지기까지로 구성된다. 그것을 풀어내는 과정에는 스릴러, 다큐멘터리, 멜로드라마가 결합되어 있다. 우선 박종철 죽음의 진상을 은폐·조작하려는 측과 캐내서 알리려는 측이 맞서는 전반부에서는 스릴러 문법이 기조를 이룬다. 기본적으로 범죄자들과 탐정들이 겨루는 형국인데, 범죄자는 '청와대'를 정점이자 배후에 두고 안기부, 남영동 순으로 위계를 이루는 집단으로 나타난다. 이에 비해, 탐정 역할을 하는 기자, 운동가, 종교인을 비롯해 탐정 편에서 증언자로서 일조하는 인물들—의사, 검사, 유족 등—은 각자의 위치에서 제

역할을 하는 개인들로 나열된다. 그들의 행동은 역사의 한 장면을 이루며 바통 터치하듯 배치되어 거대한 그림의 퍼즐 조각이 된다. 인물이 등장할 때마다 실명과 직책이 타이프 소리와 함께 화면에 각인되는데, 이는 다큐멘터리를 방불케 하며 역사적 사실에 대한 실감을 불러일으킨다.

박종철의 죽음을 알리는 데 '비둘기' 역할을 하는 87학번 연희(김태리)를 매개로 이한열(강동원)이 등장하면서 영화는 후반부로 넘어간다. 이때 1987년 항쟁 주체로서의 대학생이 화면에 등장한다. 이 부분부터 젊은이의 고민과 로맨스를 골조로 하는 청춘물과, 악의 축이 무너져가는 파국이 교직되며 영화의 리듬에 완급이 뚜렷해진다. 시대 분위기를 환기하는 음악, 패션, 어투 등이 보다 관습적으로 활용되고, 정서적 공감을 유도하는 멜로드라마 문법이 전면화된다. 그러다 이한열의 죽음을 계기로 이 영화가 구축해온 이야기의 겹들이 6월의 함성으로 수렴된다. 마지막에 두 청년의 죽음이 시민의 항쟁으로 이어지는 비계飛階가 놓이면서 〈1987〉은 멜로드라마의 기원을 상기시키는 혁명 드라마가 된다.

여기까지가 이 영화에 대한 개괄적인 구조 분석이다. 그런데 이것만으로는 무언가 석연치가 않다. 다 말하는 순간, 다 못한 이야기들, 분석 사이로 빠져나간 잉여들이 눈앞에 삼삼해진다. 이 영화를 수많은 혁명 주체들이 일구어낸 승리의 서사로 읽어내는 순간, 박처장(김윤석)의 참혹한 가족사, 박처장과 조한경(박희순)의 숨막히는 충돌, 심심치 않게 카메라가 멈추었던 전두환의 사진, 그리고 실제 발표 시기와 상관없이 삽입된 유재하의 음악 등이 매직아이처럼 떠오른다. 이 잉여 아닌 잉여들을 어떻게 읽어낼 수 있을까? 우선 이 영화를 보고났을 때 기억에 가장 오롯하게 남는 인물이 박처장이며, 실제로 이 영화에서 서사를 추동하는 가장 강력한 인물 또한 박처장이라는 데에 유의할 필요가 있다. 아울러 그는 장준환 감독의 전작인 〈화이〉(2013)에서 유괴한 아이를 양자로 키우고 그 아이로 하여금 친부를 살해하게 했던 석태(김윤석) 캐릭터와 겹치는 면이 크다는 점에서 감독의 복심으로 읽히기도 한다. 박처장을 시작점으로 하여 이 영화를 읽으면 혁명 서사에서 미처 포용하지 못하는 잉여들이 제자리를 찾고 보다 흥미로운 그림이 떠오른다.

3. 실질적 주인공 박처장과 폭력의 생리

박처장은 평남 용강 출신으로 한국전쟁 때 월남한 인물이다. 그는 치안본부 대공수사처 치안감으로 남영동 대공분실의 책임자다. 그는 자신의 스토리를 가지고 있는데, 지주였던 아버지가 양아들마냥 키웠던 머슴이 공산주의자가 되어 아버지를 비롯한 가족을 학살했고, 당시 고등학생이었던 자신은 대청마루 밑에 숨어서 그 광경을 모두 지켜봤다는 것이다. 이러한 스토리는 그가 공산주의자를 잔혹하게 대하는 이유이자 격멸해야 하는 명분이 된다. 그리고 자신의 복수를 막는 자는 모두 '빨갱이'이라는 단순논리로 비약한다. 이러한 억설이 가능했던 것은 분단 상황을 강조해 국가를 '예외상태'로 둠으로써 권력을 유지하려는 독재정권이 그러한 복수심을 부추기며 '애국'으로 치환해 주었기 때문이다. 박처장은 청와대-안기부-남영동의 라인을 통해 승승장구하며 치안본부의 실세로 군림한다. 치안본부장은 물론이고 장관들까지 그의 앞에서는 주눅이 든다. 그런데 이 골리앗과 같은 완강한 인물이 무너진다. 이 영화는 치명적인 악인 박처장이 무너지며, 그의 실체가 밝혀지는 과정이라고 해도 과언이 아니다.

그런데 그를 무너뜨리는 것은 다윗과 같은 한 명의 영웅이 아니다. 용감하고 양심적인 사람들만도 아니다. 물론 해직기자 이부영(김의성), 기획자 김정남(설경구), 함세웅 신부(이화룡), 교도관 한병용(유해진) 같은 민주화 운동 세력이 있다. 그런데 이 영화에서 사건 해결의 결정적 단서를 제공하는 것은 그들이 아니다. 시신 보존 명령을 내려 박종철 고문치사를 알리는 시발점이 된 최검사(하정우)는 결코 선한 인물이 아니다. 안기부장(문성근)과 박처장이 마시는 술병에서 최검사가 동일한 술을 마시는 것으로 화면이 전환되며 등장하는 것은 그가 권력의 하수인임을 시사한다. 박처장이 부검 명령서를 찢어버리자 미국 기자와 88올림픽을 들이대며 박처장을 설복시키는 것 또한 그가 권력의 생리를 꿰고 있는 인물임을 말해준다. 그러한 그가 상부의 명령에 불복하는 이유는 세 가지이다. 첫째는 대공처가 검찰을 마음대로 하려고 하는 것에 자존심이 상했기 때문이고, 둘째는 부천서 성고문 사건 때 진상 은폐에 동조했다가 검찰이 '독박을 썼기' 때문이다. 마지막으로 서울대생이 죽었는데 8시간도 안 되어 화장을 한다는 사실이 꺼림칙했던 것도 한 이유다. 요컨대 그가 대공처의 행보에 딴지를 거는 것은 검사로서의 자존심에서 비롯된 행동으로 철저한 엘리티즘의 소치이다. 최검사가 업무시간에도 노상 술을 마시고 누구에게나 반말을 일삼아도 될 만큼 검찰조직은 호형호제로 돌아간다. 박종철의 고문치사를 기자에게 처음으로 흘리는 이검사(서현우) 또한 최검사의 직속후배로서 대공처의 버릇을 가르치기 위한 일에 담합할 뿐이다. 여기에서 최검사의 행동은 이미 '권력의 개들'—대공처와 검찰—간에 균열이 생긴 데에서 비롯된 것임을 드러낸다.

윤기자는 특종을 잡고 사실을 알려야 한다는 직업의식으로 박종철 고문치사 진상 규명에 매달린다. 박종철의 시신을 처음 확인한 의사 오연상(이현균), 부검의 황적준(김승훈) 또한 증거가 너무 확실하여 의사로서 더 이상

거짓을 말할 수 없었기에 진실을 말한다. 그들에게 요구된 것은 침묵이 아니라 위증이었기 때문이다. 교도소 보안을 맡은 안계장(최광일)은 대공형사들의 무법한 행동을 묵과할 수 없어서 민주화운동 세력에 협력한다. 그는 '가두고 지키는 것'에 충실한 교도관이었지만 그가 지키려는 원칙을 대공형사들이 무너뜨리자 고문경관 명단을 세상에 알린다. 이들은 모두 자신의 직업에 충실했다는 점, 혹은 자신이 몸담은 조직을 지키려 했다는 점에서 최검사와 동궤를 이룬다. 이와 같이 최소한의 자존심 내지 직업윤리를 지키고자 했을 때 반독재 민주화운동에 협력하게 되었다는 것은 정권의 만행이 이미 도를 넘어섰음을 암시한다.

그리고 그것은 폭력적 권력 내부가 무너지는 것에서 직접적으로 드러난다. 스릴러에서 멜로드라마로 기조가 바뀌며 연희가 등장하는 후반부에서는 고문치사의 모든 죄를 뒤집어쓰고 수감된 고문경관들과 정권 간의 갈등이 대두하며, 폭력적 권력이 유지되는 생리를 적나라하게 보여준다. 박처장의 충직한 부하인 조한경은 자신이 '꼬리 자르기'의 희생양이 되었다는 것을 눈치채면서 애국이라는 명분으로 저질러 온 잔혹한 행동에 회의를 품는다. 이에 그가 박처장에게 반발하자 박처장은 자신이 당했던 고통을 그에게 맛보게 해주겠다고 협박한다. 그는 박처장과 온갖 만행을 함께 해왔기 때문에 그 말의 의미를 한층 더 잘 알아듣고 굴복한다. 이는 자신의 피학에 매몰된 이가 어떻게 가해자가 되는지, 피해자가 왜 폭력을 수용할 수밖에 없는지를 보여줌으로써 피학이 가학으로 전승되는 폭력의 연쇄 고리를 드러낸다. 폭력의 두려움을 맛본 이는 두려움을 떨쳐내기 위해 폭력을 행사한다. 괴물이 되어야 괴물이 무섭지 않기 때문이다. '애국'이라고 자위하며 쉬지 않고 미친 듯이 폭력에 몰입해야 두려움을 견딜 수 있는 것이다. 그래서 생각하거나 의심하면 그들은 무너진다. 그들이 생각하고 의심하는 것을 방지하기 위해 상관은 무조건 약속을 지켜 부하들로 하여금 믿고 따르게 한다. 여기에 동원되는 명분은 의리와 충성이다. 의리는 부하가 잡혀가자 박처장이 물불 가리지 않고 뛰어가는 것으로, 충성은 부하들이 한결같이 사용하는 표현 "받들겠습니다!"로 상징된다. 그런데 상관이 부하를 지켜주지 못하여 의리-충성에 균열이 발생하자 바로 그들 관계의 민낯이 드러난다. 박처장이 상부의 명령에 따라 부하를 잘라내고 부하가 반발하자 협박으로 굴복시키는 방식은 '청와대-안기부장-박처장'으로 이어지는 관계에서도 마찬가지로 나타난다. 박처장이 고문치사의 책임을 지고 잘려나갈 때 박처장이 사진 속 전두환을 노려보는 가운데 두 얼굴이 오버랩되는 것은 박처장 권력의 본질, 즉 전두환의 개였던 박처장의 실체를 폭로한다.

4. 변혁의 원동력으로서의 청년 감성

영화에서 인물들은 박처장과 대치하는 전열로 스펙트럼을 형성한다. 그 중에서 박처장과 가장 먼 대척을 이루는 인물은 박종철─이한열─연희로 이어지는 청년들이다. 후반부에서는 박처장을 위시한 대공형사 조직 내부가 드러나면서 한병용이 고문당하는 과정, 박처장의 가족사, 박종철의 최후, 이한열이 쓰러지는 장면이 길게 처리된다. 이에 대해서는 전반부의 사실감을 깨는 과잉이라며 비판이 집중되기도 했다.[1] 그런데 들여다보면 후반부에서는 박처장으로 대표되는 폭압적 권력과 청년들의 순수를 선명하게 대비시키는 데 이 영화의 의도가 있음을 알 수 있다.

코스타 가브라스의 〈계엄령〉(1973)에서 필립 산토레(이브 몽땅)는 남아메리카 독재정권을 배후조종하는 미국 정보부 거물인데 반정부 세력에 의해 납치된다. 그는 납치되어 이송되면서 복면을 쓴 반군 젊은이에게 묻는다. 무엇을 위해 이렇게 목숨을 걸고 싸우느냐고. 그러자 젊은이는 "나약함을 위해서."라고 대답한다. 나약함은 강인함과 대비되어 부정적인 의미로 받아들여진다. 특히 개발독재기 남성 중심 사회에서 나약함은 악덕 중의 악덕이었다. 나약함은 순하고 부드러워서 약한 것을 가리키고 그래서 쉽게 무너지고 흔들릴 수 있는 것이기도 하다. 그러나 분단국가에서 순해서 무너지는 것은 물론이고 이분법 이외의 것을 상상하며 흔들리는 것은 허용되지 않았다. 박처장이 조한경의 머리를 발로 짓누르며 "애국자야? 월북자야?"라고 다그치자 조한경이 어쩔 수 없이 '애국자'를 선택하는 것은 그것을 잘 보여준다. 그리고 이것은 〈화이〉에서 아비 석태가 아들 화이(여진구)에게 괴물

---

1. 김영진, 「상품, 예술, 계몽의 자리」, 『씨네21』 1140호, 2018.1.23. 77-79면 참조.

이 두려우면 괴물이 되라고 다그치는 것의 국가 버전이다.

〈1987〉에서 연희는 물론이고 박종철과 이한열이 가지는 이미지는 〈계엄령〉에서 젊은이가 말한 '나약함'을 연상시킨다. 그들은 신념에 찬 투사가 아니다. 그들은 착하고 여린 청년들일 뿐이다. 선배의 행방을 말하지 않고 고문 끝에 숨질 때 박종철(여진구)의 입에서 나온 마지막 한마디는 "엄마"이다. 영화를 보여주겠다고 동아리로 초청하여 광주항쟁 다큐멘터리를 보여준 이한열에게 연희가 왜들 그렇게 잘났느냐, 가족들 생각은 안 하느냐며 항의하자 이한열의 입에서 나온 말은 "마음이 아파서"이다. 임금투쟁을 하다 화병으로 돌아가신 아버지를 생각하며 "그날 같은 건 오지 않는다."라고 말하던 연희가 마지막에 거리에 나서는 것은 연희가 신발도 없이 혼자 버려졌을 때 운동화를 사들고 먼 길을 와주었던 해맑고 따뜻한 선배가 최루탄에 맞아 사경을 헤매기 때문이다. 여기에서 청년들을 통해 드러나는 정서는 '슬픔과 공감'으로 박처장이 지닌 '분노에 찬 가학성'과 대비된다.

이러한 정서는 유재하의 '가리워진 길'을 통해 대변된다. 연희가 영화에 처음 등장할 때 라디오에서 녹음하려다 실패하는 노래가 유재하의 '가리워진 길'이다. "보일 듯 말 듯 가물거리는 안개 속에 싸인 길"로 시작하는 이 노래는 어디로 가야 할지 모르는 청춘의 불안한 심경을 담고 있으면서도 무지개와 같은 미래와 서로 힘이 되어주는 연대에 대한 희망을 놓지 않는다. 유재하는 1987년 8월에 이 곡이 실린 첫 음반을 발표했고 11월 1일에 교통사고로 타계했다. 그가 떠난 이후 그가 남긴 유일한 음반은 신드롬을 일으켰고 1980년대 말 청년의 착한 영혼을 상징하며 한국 대중가요사에서 손에 꼽는 명반으로 남았다. 영화에서 연희가 이 노래를 듣는 때는 대학에 입학하기 전인 1987년 초봄이므로 실제로는 이 곡이 발표되기 전이다. 그럼에도 이 곡이 87학번 연희의 테마음악으로 쓰인 것은 1987년 젊은이들의 정서를 표현하기 위해서 의도적으로 채택되었음을 짐작게 한다. 그리고 이는 이 영화가 이해하는, 그래서 말하고자 하는 1987년 청년의 감성을 전해준다.

이 영화의 후반부가 '안이한 관습', '관행에 탑승', '신파적인 전개' 등으로 대중성에 쉽게 편승했다고 비판받은 것은 이 부분이 지닌 센티멘털리즘에 기인하는 바 크다. 물론 청년을 순일한 존재로 보는 것은 과거를 돌아갈 수 없는 노스탤지어로 상정하고 그리움을 알리바이 삼아 현재의 타락을 합리화하는 오랜 관습과 맞닿아 있다. 아름다운 세 배우(여진구, 강동원, 김태리)를 통해 1987년의 젊은이를 비극적 순수로 그리는 것은 386세대에 대한 헌사로 보이는 면도 있다. 그러한 비판의 일리를 인정하면서도 놓쳐서는 안 될 것은 이 영화에는 '청년의 순수'에 대한 깊은 믿음이 깔려 있다는 점이다. 젊음이 가질 수밖에 없는—흔들리기 쉽고 나약한 것, 혹은 센티멘털리즘의 다른 이름이기도 한—순수가 세상을 바꾸는 동력임을, 역사는 눈 맑은 젊은이들에 의해 새 국면을 맞이함을, 그래서 1987년 폭압적 정권을 무너뜨린 힘의 출발점은 청년의 착한 감성이었음을, 그러므로 그들의 희생이 헛되지 않았음을, 〈1987〉은 말하고 있다.

5. 역사의 포갬과 부단한 균형 감각

이러한 역사 인식이 새롭다고는 할 수 없다. 그럼에도 나는 〈1987〉이 '역사적'인 영화라고 말하고 싶다. 무엇보다 이 영화는 가해자를 지목했다. 이는 〈택시운전사〉가 현재의 광장으로 서둘러 옮겨오기 위해 1980년 5월 금남로에서 학살 수괴의 이름을 지웠던 것과 대비된다. 〈택시운전사〉에서는 막판 택시 추격 장면을 통해 액션장르의 관습으로 급히 탑승하여 눈 내리는 광화문 광장으로 비약했다. 그럼으로써 지난 10년 간 광주를 잊고 각자의 집 값 오르는 데 몰두했던 '우리들'에게 심리적 면죄부를 선사했다. 이것은 대중성을 빙자하여 역사를 기만한 위로의 방식이다.[2] 그러나 〈1987〉은 '뚜전뉴스'로 시작해 전두환 사진이 걸린 자리에서 공권력 회의가 이루어짐을 세심하게 보여준다. 뿐만 아니라 카메라는 전두환의 사진이나 '靑'자가 들어간 전화기에 머물고, 박처장의 상관들은 '청와대'와 '각하'를 자주 호명함으로써 그들의 배후에 전두환이 있음을 계속 누설한다. 박처장을 중심으로 읽었을 때 이 영화의 의도가 보다 분명히 드러나는 것도 이 영화가 가해자에 주목했음을 시사한다.

또한 이 영화는 역사적 사실에 허구적 요소를 첨가하고 장르 문법을 도입하는 데 인색하지 않았지만 그 사이에서 균형을 잡기 위해 부단히 애쓴다. 예컨대 이한열 역에 강동원을 기용하여 스타 페르소나를 이용하면서도 이한열의 죽음을 최대한 사실에 가깝게 재연함으로써 강동원의 허구성을 최대한 상쇄한다. 이와 같이 주지된 사실과 관습적 이미지를 활용하여 자칫 진부해져 버릴 수 있는 겹침을 감행하면서도 그 안에서 균형을 잡는 것은 이 영화의 성취이다. 그것은 역사를 포개놓는 부분에서 가장 빛난다. 후반부에서는 1980년 5월과 1987년 6월이 여러 번 덧놓인다. 택시운전사들의 경적소리와 애국가 제창에서 광주가 환기되고, 이한열을 향해 최루탄이 직사될 때 금남로의 발포가 떠오른다. 그리고 그것은 다시 백남기 농민의 죽음을 연상시킨다. 이러한 방식으로 이 영화는 일탈되고 왜곡되었던 민주주

2. 이에 대해서는 박유희, 「망각의 알리바이와 '우리들'의 참회」, 『문학들』 2017년 겨울호 (통권 50호), 문학들, 2017.12, 106~135면 참조.

의의 역사를 제자리에 돌려놓는다. 1980년 5월 광주학살이 있었고, 국민의 피를 밟고 집권한 살인 정권이 1987년에 박종철과 이한열을 죽였다. 젊은 이들의 희생으로 대통령 직선제는 쟁취했지만 살인 정권은 되살아나 또 다른 악행을 저질렀음을 짚어낸다.

이 영화가 1987년 이후의 절망을 포착하지 못했다고 비판할 수 있다. 그러나 그러한 비판은 현재 정치 상황에 대한 불안의 발로일 뿐이지 대안을 가지고 있는 것은 아닌 듯하다. 이 영화의 후반부가 신파적이고 진부하다는 평가는 일리가 있다. 그럼에도 현 시점에서 이보다 더 나은 방식으로 관객 700만과 만날 수 있는 길을 나로서는 상상하기 힘들다. 우리는 지난 10년 동안 이 영화에서 상기시킨 역사의 흐름을 떠올리지 않았다. 알고는 있어도 지난 일로 치워 두거나 외면했다. 이 영화는 역사성과 대중성 사이에서 긴장을 유지하며, 우리가 잊었던 맥락을 되살려 지난 수십 년의 역사를 바라보게 한다. 그것만으로 〈1987〉이 최고의 역사영화는 될 수 없을지 모르나, 2017년 최선의 영화임에는 틀림없다.

박유희 _ narrative21@naver.com
영화비평가이자 한국영화사 연구자. 영화사의 맥락과 서사장르의 관계망 안에서 현재 영화의 위상과 의미를 묻는 비평을 하고 있음. 『디지털시대의 서사와 매체』 『서사의 숲에서 한국영화를 바라보다』 『대중서사장르의 모든 것』 1~5권(공저) 등의 책이 있음.

장훈 감독

택시운전사

감독/ 장훈
출연/ 송강호, 토마스 크레취만,
유해진, 류준열, 박혁권, 최귀화
각본/ 엄유나, 조슬예
제작/ 정근욱
기획/ 최기섭, 박은경
촬영/ 한정희
제작/ 더램프(주)

사회적 메시지와 상업극영화의 모범적인 콜라보레이션
현대의 비극적인 역사를 '제3의 눈'으로 응시하는 시선의 영리함,
광주의 재조명
한국 현대사의 중요한 사건을 직접 체험하지 못한 젊은 세대들에게
이전 세대의 용기와 희생을 간접 체험하게 하며, 역사를 인식하는
새로운 눈을 뜨게 한다. 드라마적인 요소가 적절하게 가미되었고
배우들의 연기도 뛰어나다.
그날의 비극을 '절제'하노라니 역사와 장르 그리고 배우와 관객도 따뜻하게 손을 잡는다.
소위 영화적 완성도를 넘어, 대중영화의 '공론장적 역할'을 100% 발휘하다!
제3자가 본 광주, 5.18의 진짜 비극은 '아무도 모른다'였다.
한 역사적 사건을 보통 사람의 눈으로 본 그대로 그렸다.

— 추천위원의 선정이유 中

〈택시운전사〉, 〈화려한 휴가〉를 넘어 '공론장으로써 영화'로 나아가다

— 장훈 감독 〈택시운전사〉

전찬일

　광주항쟁은 두말할 나위 없이 대한민국 현대사의 가장 비극적 대참사 중 하나다. 주류 영화가 으레 드라마틱한 사건들에 눈독들이기 마련이라는 현실을 감안하면, 그 참사 속에 내재된 숱한 드라마들은 영화화에 제격일 법했다. 하지만 현실은 전혀 그렇지 않았다. 대중·상업·오락 영화로 한정하면, 소재의 비극성이 워낙 커 영화화하기 부담스러워서였든지 또 다른 이유들에서든지, 38년 가까운 짧지 않은 세월 동안 기획·제작돼 선보인 관련 영화는 기껏 2편에 지나지 않는다. 2007년에 선보인 〈화려한 휴가〉(김지훈 감독)와, 그로부터 정확히 10년 지난 2017년에 선보인 〈택시운전사〉(장훈)다.

　이 두 문제적 화제작들은 시쳇말로 대박을 터뜨렸다. 〈화려한 휴가〉는 700만(이하 영화진흥위원회 통합전산망 참고)에 근접했다. 800만에 육박

한 〈디워〉(심형래)에 이어 2007 한국 영화 박스오피스 2위였다. 어지간한 규모면 으레 1,000~2,000개 스크린을 확보하곤 하는 최근의 배급 관행을 감안할 때, 최다 스크린 수가 550여개 밖에 되지 않았던 상황에서 일궈낸 700만이란 기록은 요즈음의 1,000만을 훌쩍 뛰어넘을 대성취라 할 만하다. 한편 〈택시운전사〉는 최종 1,218만여 명으로 2017년 종합 흥행 정상을 차지했다. 총 16편의 국산 천만 영화 중 〈신과함께-죄와 벌〉(김용화)에 앞서 15번째로 천만 고지를 돌파하면서, 전체 순위 11위에 올라 있다.

광주민주화운동을 극화했다는 것 말고도 실화를 바탕으로 했고 으뜸 주인공이 택시기사란 점 등에서 두 흥행작은 적잖이 닮았다. 어릴 적 부모님을 여의고 동생 진우(이준기 분)와 단둘이 살면서 동생만을 바라보며 평범한 일상을 살아가던 광주 시민 민우(김상경)와, 외국 손님을 태우고 광주에

갔다가 통금 전에만 돌아오면 밀린 월세를 갚을 수 있을 거금 10만 원을 벌 수 있다는 말을 식당에서 엿듣고는, 다른 기사에게서 독일 저널리스트를 가로채 서울에서 광주로 향하는 만섭(송강호)이 두 주인공이다. 하지만 몇 지점에서 두 영화는 확연히 다른 노선을 걸으며, 크고 작은 차이를 드러낸다.

당장 영화가 다루는 시간적 배경부터가 다르다. 〈화려한 휴가〉가 1980년 5월 18일부터 광주항쟁의 열흘을 포괄하는 반면, 〈택시운전사〉는 항쟁의 이틀인 5월 20일과 21일의 사건들에 초점을 맞춘다. 위르겐 힌츠페터(토마스 크레취만)가 19일 도쿄에서 동료 저널리스트들에게 광주항쟁에 대한 소식을 듣고는 20일 전격 한국을 찾아, 극적으로 서울을 거쳐 광주로 가 이틀 동안 항쟁의 현장을 몸소 겪으며 기록하고, 그 기록을 갖고 만섭/사복 및 광주의 택시기사 황태술(유해진) 등의 도움으로 극적으로 탈출해 일본으로 되돌아가는 이틀간이다.

결정적 차이는 그러나, 비극을 그리는 시선에서 드러난다. 〈화려한 휴가〉가 피해자, 즉 내부인의 시선에서 체험·전개된다면, 〈택시운전사〉는 만섭과 힌츠페터 두 캐릭터의 제3자적, 외부인의 시선으로 묘사·진행되는 것. 다름 아닌 이 외부자 시선이 영화에 대한 비평적 평가나 호불호를 가르는 핵심적 요인인 바 치명적 약점이거나 최대 강점으로, 양가적으로 작용한다.

평소 친하게 지내는 광주의 한 문화기획자는 "〈택시운전사〉가 좀 더 피해자들에게 가까이 다가갔더라면 좋았을 것." 이라며 아쉬움을 피력했다. 영화 평론가 황진미는 "어리둥절한 외부인의 시선 이상의 것이 나올 때가 되지 않았나."(이하 포털 다음의 영화 편 참고)라면서 큰 유감을 표명했다. 허나 정반대의 진단들도 존재, 아니 훨씬 더 많은 게 현실이다. 가령 "〈군함도〉는 휘청거렸고 〈택시운전사〉는 비상했다. 1000만 영화가 나왔지만 질과 양적

측면에서 작년에 미치지 못했다."라는 요지의 "여름 극장가 '국내 빅4' 성적
표" 관련 기사(2017년 8월 24일 자 19면)에서 경향신문 기자는, "평범하지
만 선량한 사람의 양심적 각성을 연기하는데서 늘 최고의 역량을 보여준 송
강호의 호연" 외에 "외부인의 시선으로 1980년 광주를 잘 모르는 관객들에
게 눈높이를 맞췄다"는 점 등 "영화 내적 요인이 정치권 인사들의 관람 같
은 외적 요인과 잘 맞물렸다"며 〈택시운전사〉가 천만 고지를 넘을 수 있었
던 비상의 요인들을 적절히 진단했다.

　필자는 위 기자의 진단에 전적으로 동의한다. 실은 그 정도가 아니다. 황
진미가 '어리둥절'하다고 평한 그 외부적 시선이야 말로 〈택시운전사〉에 예
상을 뛰어넘는 대성공을 안겨준 최대 변수였으며, 으뜸 영화적 덕목이라고
확신하고 있다. 〈화려한 휴가〉와 대조적인 영화의 3자적 시선 덕에, 세상의

(거의) 모든 예술·오락에 필수적으로 요청되는 영화 미학적 거리가 확보됐고, 보다 폭 넓은 대중 관객들과의 공감의 폭과 깊이가 더욱 넓어지고 깊어질 수 있었기 때문이다. 뿐만 아니다. 그 외부 시선은 때론 만섭과, 때론 힌츠페터와, 때론 또 다른 3자적 캐릭터들과의 동일시를 통해 대중 영화에 절대적으로 요구되는 극적 몰입을 가능케 한다. 거리감과 몰입을 동시에 선사하는 외부자 시선이라? 흥미롭지 않은가. 그야말로 공감적 거리감과 비판적 몰입의 최적 사례로 손색없다. 극중 캐릭터들의 3자적 시선과 수용 층인 관객들의 시선, 그리고 감독을 포함한 영화를 만든 이들의 시선이 완벽하게 일치됐기에 가능해진 〈택시운전사〉의 영화 예술적 성취라 하지 않을 수 없다.

감독에 눈길을 주면 상기 외부자 시선은 선택이 아니라 당연한 귀결인 감이 없지 않다. 장훈 감독은 1975년 5월 생으로, 광주항쟁 당시 고작 6살에 지나지 않았다. (감독의 전언에 의하면) 게다가 그는 광주와는 무관한, 강원도 정선 태생. 학창시절을 광주에서 보낸 것도 아니다. 그렇다고 평소 광주항쟁에 남다른 관심을 지니고 있었던 것도 아니다. 300만에 달하는 '흥행 중박'과 제31회 영평상 최우수작품상 및 감독상 등에 빛나는 비평적 개가를 거둔 〈고지전〉(2011) 이후 김기덕 감독과의 '불화'로 칩거에 들었던 그를 기획제작자인 박은경 더 램프 대표가 세상 밖으로 호출했고, 숙고 끝에 그 호출에 응한 것이다.

〈택시운전사〉에 뛰어들며 감독은 광주항쟁 속으로 가능한 깊숙이 들어가고 싶었다. 〈화려한 휴가〉처럼 피해자의 시선을 전면에 내세우고 싶었다. 하지만 제작자 등 주변의 만류로 그 바람을 단념해야 했다. 부득이 외부인의 시선을 취할 수밖에 없었다. 결과적으로 최선의 선택이었다. '또 하나의 〈화려한 휴가〉'에서 '〈화려한 휴가〉 이후'로 비상하게 될, 멋진 결정이었다. 그저 광주항쟁 발발 당시 고작 여섯 살에 불과했던 비광주 출신 감독이 전하는 피해자 드라마였다면, 어찌 〈택시운전사〉만큼의 크고 깊은 신뢰감을 선사할 수 있겠는가. 만약 언제고 〈화려한 휴가〉와 〈택시운전사〉를 통합한 '〈택시운전사〉 이후'가 빚어져 선보인다면, 그 초석은 〈화려한 휴가〉가 깐 것이고 〈택시운전사〉가 그 초석을 더욱 굳게 다진 덕분일 게 틀림없을 터. 과연 그날이 올지는 두고 봐야겠지만 말이다.

필자는 생생히 기억하고 있다. 지난해 제26회 부일영화상 본심 때, 심사위원 중 한 명이었던 부산일보 문화부 데스크가 최우수작품상 수상작으로 〈택시운전사〉를 열렬히 지지하던 모습을. 그는 광주항쟁이 단지 광주(인들)만의 비극이 아니라 대한민국(인) 모두의 문제였다는 사실을 영화가 의

미와 재미, 감동을 두루 곁들여, 설득력 있게 전하는데 성공했다고 역설했다. 그것은 〈택시운전사〉가 '어나더 〈화려한 휴가〉'를 넘어 '포스트 〈화려한 휴가〉'로 승화될 수 있었던 이유였다. 그 자리에서 필자가 그 못잖게 좋아했던 홍상수 감독의 〈그 후〉 대신 〈택시운전사〉에 한 표를 던진 것도 그래서였다.

흔히 "영화는 영화일 뿐"이라고들 한다. 흥미롭게도 장훈 감독의 데뷔작도 김기덕 각본의 〈영화는 영화다〉(2008)였다. 하지만 늘 영화가 영화로만 머무는 것은 아니다. 때로 영화는 영화를 넘어 시대에, 정치·사회·문화에 크고 작은 충격을 안겨주고 영향을 미친다. 반영 및 변형 등의 역할을 통해, 다소 멀리 〈도가니〉(2011, 황동혁), 〈완득이〉(2011, 이한)부터 근자의 〈아이 캔 스피크〉(2017, 김현석), 〈1987〉(2017, 장준환) 등에 이르기까지 그 예들은 수두룩하다. 예외없이 한 편의 영화를 넘어 공론장(Public Sphere)으로써 영화까지 나아간 몇몇 사례들이다. 〈택시운전사〉는 광주 망월동 묘역의 평상시 풍경을 바꾸는 데까지 나아갔다지 않는가. 광주항쟁 및 광주를 향한 외부인들의 부채감·죄의식·어린 각성을 환기시키면서.

이럴진대 〈택시운전사〉 말미에 등장하는 추격 시퀀스가 다소 촌스럽다고 한들, 그렇게도 큰 흠일까? 시대가 세련되기는커녕 야만적일 대로 야만적이었거늘, 그때 그 사건을 다소 촌스럽게 연출했기로서니 그게 뭐 그리 비난 받을 잘못일까? 사실 필자는 상기 부일영화상에서 남우주연상 수상자로 송강호를 밀면서 끝내 다수의 동의를 이끌어내는데 성공했으나, 만섭이 송강호의 최고 연기라고 여기진 않는다. 유해진의 연기도, 개인적 친분 탓에 남다른 애정을 품고 있는 류준열의 연기도, 최상은 아니다. 플롯도 전작들, 그중에서도 〈의형제〉(2010)에 비해 상대적으로 덜 촘촘하며 성긴 편이다.

플롯의 정교함이나 추동력에서도 〈택시운전사〉가 상대적으로 뒤떨어지는 것도 사실이다. 허나 이야기의 완급에서 영화는 세 전작들을 압도한다. 드라마투르기의 승부는 결국 드라마의 완급 조절에 있다는 사실을 상기한다면, 아무리 칭찬해도 지나치지 않을 〈택시운전사〉의 주요 미덕이다.

성격화의 복합성에서도 영화는 각별한 주목을 요한다. 《쿨투라》 2017년 겨울호에서도 밝혔듯, 그와 관련 필자는 딸 바보 아버지로 세속적일대로 세속적이었던 '사적 인간' 만섭이 힌츠페터 등과 함께 광주항쟁을 겪으면서 숭고한 '공적 인간'으로 승화돼 가는 극적 과정을, 그 과정에서 구현된 만섭/송강호의 입체적 표정을 잊지 못하고 있다. 앞으로도 그럴 것이다. 이후로도 오랫동안. 만섭의 변화는 〈1987〉에서의 여자 주인공 연희(김태리)의 변화를 예고·선취하고 있다. 이래저래 〈아이 캔 스피크〉에 그 영예가 최종 낙착됐으나, 〈택시운전사〉는 2017년의 최고 한국 영화로 부족함이 없다. 〈남한산성〉이, 〈1987〉이 그렇듯.

전찬일 _ chanilj@hanafos.com
영화평론가. 조선대학교 대학원 초빙교수, 《공연과리뷰》 편집위원, '작가가 선정한 오늘의 영화' 기획위원. 저서로 『영화의 매혹, 진혹한 비평』 등이 있음.

맨체스터 바이 더 씨
》》》 케네스 로너건 감독

덩케르크
≈ 크리스토퍼 놀란 감독

외국
영화

문라이트
≋ 배리 젠킨스 감독

너의 이름은.
《《《 신카이 마코토 감독

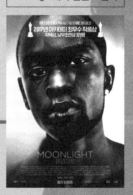

러빙 빈센트
》》》 도로타 코비엘라,
휴 웰치맨 감독

사일런스
⟪⟪⟪ 마틴 스콜세지 감독

블레이드 러너 2049
≋ 드니 빌뇌브 감독

외국
영화

패터슨
≋ 짐 자무쉬 감독

원더우먼
≋ 패티 젠킨스 감독

윈드 리버
≋ 테일러 쉐리던 감독

크리스토퍼 놀란 감독

덩케르크

감독/ 크리스토퍼 놀란
출연/ 핀 화이트헤드,
마크 라이런스,
톰 하디, 해리 스타일스,
아뉴린 바나드, 톰 글린 카니,
잭 로던, 배리 케오간
각본/ 크리스토퍼 놀란
촬영/ 호이트 반 호이테마
음악/ 한스 짐머
음향/ 리차드 킹
편집/ 리 스미스

전쟁 영화의 새로운 가능성
시공간의 대비로 보여주는 전쟁의 공포와 스펙터클
이기는 자 아닌 살아남는 자의 영웅담을 육해공으로 통합한 미학
덩케르크 디 오리지널과 비교해 보는 재미
영화관과 필름의 탄생에 감사하게 된다
세 가지 시선의 종합이라는 다차원적 기획.
영화가 보여주는 광활한 시야는
아이맥스 영화의 의의를 느끼게 해준다.
스펙터클이 무엇인지를 보여주는 영화이다.
'생존'의 가치와 무게를 깨닫게 된다.

— 추천위원의 선정이유 中

시간의 3중주로 구축한 역사적 사건의 의미

— 크리스토퍼 놀란 감독 〈덩케르크〉

이채원

1. 프롤로그

지난 며칠 동안 죽음의 문턱을 넘나들며 찾아온 것이 바로 이 해변이다. 그러나 지금 그와 장병들이 바라보고 있는 해변은 이제까지 보아온 상황과 별반 다르지 않았다. 이곳은 혼란의 최종 목적지이기도 했다. 직접 눈으로 확인하니 모든 것이 분명해졌다. 퇴각 행렬이 더 이상 나아갈 수 없어 그냥 이렇게 된 것이다. 환상에서 깨어나 현실을 받아들이기까지는 얼마 걸리지 않았다. 수천 명, 아니 수만 명, 어쩌면 그보다 더 많은 군인들이 넓디넓은 해변에 퍼져 있었다. 멀리서 보니 그들은 검은 모래알 같았다. 그러나 밀려오는 파도를 따라 해안 근처에서 뒤집힌 흔들리는 포경선 한 척을 제외하면 배는 한 척도 없었다. 긴 방파제 옆에도 배는 없었다. 그는 눈을 깜박였다가 다시 바라보았다. 그것은 인간으로 만들어진 방파제였다. 군인들의 긴

줄, 예닐곱 줄로 이루어진 긴 행렬. 무릎을 구부리거나 허리를 펴고 망연자실하여 서 있는 군인들의 긴 행렬이 얕은 물 속까지 거의 5백 야드나 이어져 있었다.

— 이언 매큐언(Ian McEwan), 『속죄』(Atonement) 중에서

'다이나모 작전Operation Dynamo'으로 불리는 덩케르크 철수 작전은 치열한 전투도, 짜릿한 승리도, 비장한 패배도 아닌 단지 철수 작전이었다. 단지 퇴각에 불과한 덩케르크 작전이 비중 있게 기록되고 인상적으로 기억되며 문화텍스트를 통해 계속 다시 소환되고 있다. 영국인 작가 이언 매큐언Ian McEwan이 그의 대표작 『속죄』(Atonement)에서 남자주인공인 로비를 죽게 한 전쟁터도 덩케르크 해변이었다. 〈인터스텔라〉(Interstellar)에서 SF

적 상상력을 유감없이 보여준 영국인 영화 감독 크리스토퍼 놀란Christopher
Nolan이 〈인터스텔라〉 다음 영화로 선택한 소재가 SF와는 가장 먼 거리에
있다고 생각되는 실화이며 그중에서도 덩케르크 철수 작전이다. 1940년 5
월 26일부터 6월 4일까지 프랑스 북부 덩케르크 해변에서, 도버 해협과 독
일군 사이에 고립되어 발이 묶인 33만여 명의 연합군이 영국으로 귀환한
역사적 사실은 어떤 의미를 가지고 있는가? 그 의미를 크리스토퍼 놀란 감
독은 어떻게 해석하고 있으며 그것을 어떤 방식으로 스크린에 펼치는가?
이 글은 이러한 질문에서 시작된다.

2. 전쟁영화에 대한 관습적 기대에 반反하다

전쟁은 인간이 겪을 수 있는 모든 것 중 가장 극한의 체험이다. 전장戰

場에서 목숨 걸고 전투에 임해야 하는 군인들은 물론이고 후방에서 기다리고 견뎌야 하는 민간인들에게도 전쟁은 인간 존재의 심연까지 들여다보게 하는 참혹한 상황이다. 그 속에서 군인들도 민간인들도 왜 싸우는지도 모른 채 살아남기 위해 편을 가르고 죽이고 죽는다. 한편 역설적으로 극한 상황에서 휴머니즘은 더욱 빛을 발한다. 때문에 인간과 세계의 단면을, 많은 정보를 농축한 채 축약해서 보여줘야하는 영화에서 전쟁은 중요한 소재가 되어왔다. 특히 인류사에서 가장 치열하고 거대한 전쟁이었던 제2차 세계대전은 영화의 단골 소재이다. 전쟁 영화는 몇 가지 장르적인 관습을 가지고 있다. 승자의 기록일 경우가 많으며, 치열한 전투 장면의 스펙터클에 집중하거나, 암호 해독이나 최신 무기 같은 기술적 성취에 주목한다. 그리고 대체로 영웅 서사를 구축한다. 또한 휴머니즘의 드라마로 이어지며 반전 메시지를 전달하는 경우가 많다. 관객 역시 전쟁 영화를 관람할 때 관습적인 기대 지평을 가지고 실제와 비슷하지만 실제는 아닌 전쟁 상황에 몰입한다.

〈덩케르크〉는 이러한 전쟁 영화의 장르적 관습을 위반하고, 다른 관점에서 전쟁에 접근한다. 결과적으로 관객들로 하여금 다른 방식으로 전쟁 영화를 소비하게 한다. 우선 〈덩케르크〉에서는 용감하고 영웅적이기보다는 겁에 질리고 비겁한 인간 군상이 묘사된다. 영화가 시작되면서 "그들은 덩케르크 해변에 고립됐고, 구조되어 조국으로 돌아가는 기적만을 바라고 있다."는 자막이 제시된다. 여기서 "그들"은 용맹스럽고 희생적이며 애국심으로 무장된 군인이 아니라 "기적"적으로 "구조되어"야 하는 무기력한 존재들이다. 덩케르크에서 그들이 할 수 있는 일은 줄어들 기미가 보이지 않는 긴 줄에 서는 것뿐이다. 앳된 얼굴의 군인 토미는 배에 타기 위해 부상자를 이용한다. 부상자를 들것에 싣고 달려서 가까스로 배에 탔지만 해군 대령은 부상자만을 받아줄 뿐 들것을 운반한 토미와 깁슨에게는 내려서 줄을 서라고 말한다. 우여곡절 끝에 토미와 깁슨은 다른 배에 타게 되지만 정원 초과로 인해 프랑스인 깁슨이 쫓겨날 위기에 처한다. 여기서 어떻게든 자신이 먼저 살려고 분투하는 인간들의 민낯이 여과없이 드러난다. 하지만 겁에 질리고 나약하며 살기 위해 공격적이게 되고 편 가르기를 하는 군인들의 모습을 바라보는 감독의 시선은 비난을 담고 있지 않다. 오히려 이해와 공감의 에토스를 전달한다. 전쟁의 장엄함과 영웅의 활약에 압도되기를 기대했을 관객 역시 전쟁의 지리멸렬함과 군인들의 평범한 비겁함에 공감하지 않을 수 없다. 한편 영국 군인의 시신을 묻어주고, 목이 말라하는 토미에게 생명수와 같은 수통을 건네주며 영국 배에 오르기 위해 영국 군복으로 갈아입은 깁슨이 배가 침몰했을 때 영국 군인들을 구하기 위해 배로 돌아가 잠긴 문을 열어주었던 것처럼, 잠시의 시간을 함께 했을 뿐이지만 깁슨의 편이 되어 영국 군인들에게 항변하는 토미처럼, 전쟁터의 군인들은 겁에 질려 비겁하지만 한편으로는 상식적인 연민을 가지고 있는 인간인 것이다.

〈덩케르크〉는 지극히 평범해서 이해할 수 있는 생존 본능, 비겁함과 이기심, 연민 등을 리얼리즘을 내장한 카메라를 통해 현실적으로 보여주는 것에 머무르지 않는다. 덩케르크 철수 작전이 성공할 수 있었던 것은 민간인들의 참여 덕분이었다. 퇴각 군인들을 태울 수 있는 구축함은 한 척씩만 올 수 있고, 게다가 해변 가까이에는 큰 배를 정박할 수도 없는 상황에서 군인들의 긴 행렬은 끝이 보이지 않았다. 때문에 당시 영국인들은 개인 소유의 요트와 어선 등을 이끌고 위험을 무릅쓴 채 덩케르크로 향했다. 900여 척이었다고 전해진다. 하나의 선의善意 위에 또 하나의 선의가 더해져서 집단의 선의가 되었고 그것이 기적을 만든 것이다. 고향으로 돌아갈 수 있는 가능성

이 희박한 상황에서, 그렇다고 귀향에 대한 희망을 버리지도 못해서 지쳐가
는 군인들을 보면서 함께 지친 관객들 앞에 민간인 소유의 배들이 바다를
뒤덮으며 등장하는 장면은 내내 건조했던 영화 〈덩케르크〉에서 처음으로
영화적인 감동이 폭발하는 순간이다. 실화를 소재로 했기에 더 감동적이다.

　〈덩케르크〉에서 전투기의 연료가 부족하다는 것을 알면서도 돌아가지 않
고 퇴각을 지원 사격했던 전투기 조종사가 멋있는 영웅으로 묘사되기는 했
지만, 영웅은 조종사 한 명이 아니다. 개인 소유의 배를 몰고 도버 해협을
건넌 사람들 하나하나가 영웅이다. 〈덩케르크〉는 기적을 만드는 힘이 한
사람의 영웅에게 있는 것이 아니라 집단의 선의에 있음을 보여준다. 영국
으로 돌아온 군인들은 승리를 거두고 돌아온 것이 아님을 부끄러워한다. 자
신들은 단지 살아서 돌아왔을 뿐이라고 말하지만, 그런 그들을 위로한 말
은 '그것으로 충분하다'는 것이다. 이것이 '덩케르크 정신'이 가진 현대성이

자 반反 파시즘이라고 나는 본다. '임전무퇴'나 '배수의 진'은 승리가 아니면 죽음이라는 극단적인 승리지상주의에 기반을 둔다. 또한 병사들을 기능으로 환원하며 개인을 집단에 매몰시키는 봉건성과 전체주의를 내포한다. 하지만 군인 한 명 한 명은 자살테러의 수단이나 총알받이가 아닌 인간 개인이다. 후퇴와 철수가 부끄러운 것이 아니고 '생존' 자체가 다른 모든 가치에 우선할 수 있다. 이를 주목했기에 〈덩케르크〉는 다른 전쟁 영화들과 차별화된다.

3. 영화의 본질을 체현體現하는 영화

우리가 현실에서 인식하는 시간은 비가역적이다. 소설에서 구성되는 시간은, 회상과 예시豫示를 오가더라도, 선형적으로 서술된다. 오직 영화에서

만이 시간은 가역적이며 상대적으로 구성된다. 같은 시간 다른 공간에서 벌어지는 일을 동시에 재현하는 것도 영화매체에서만 가능하다. 크리스토퍼 놀란 감독은 매체 자체가 타임머신과 같은 영화의 특성을 언제나 영리하게 활용하고 탁월하게 드러냈다. 대표작 〈인셉션〉에서 시간의 주관적 상대성을 환상적으로 펼친 영화적 상상력은 〈인터스텔라〉에서 시간의 물리적 상대성까지 영상화 했다. 실화를 바탕으로 한 〈덩케르크〉에서도 세 개의 서로 다른 시간이 절묘하게 교차 편집되어 하나의 지점을 향해 간다. 덩케르크 해변에서 구조를 기다리는 일주일과, 구조를 위해 덩케르크로 향하는 개인 요트에서의 하루, 독일공군의 폭격을 막는 영국 전투기 조종사의 한 시간은 영화기술에 의해서 하나의 결말로 수렴된다. 해변과 요트와 전투기 안에서 다르게 설정된 시간의 길이는 각 상황의 심리적 시간에 대한 메타포이기도 하다. 이러한 시간 구성은 치열한 전투 장면이 없어도 관객들을 집중하게 한다. 서로 다른 공간과 서로 다른 시간의 길이를 연결된 시퀀스로 인식해야하는 관객은 어느 순간 혼란에 빠진다. 기승전결과 같은 시간의 논리적인 구성에 익숙한 관객이라면 특히 혼란에 빠지게 되지만, 물리적 심리적 길이가 다른 시간들이 한 시점에서 수렴되는 과정에 곧 몰입된다. 이것이 〈덩케르크〉가 가장 영화적인 영화가 될 수 있었던 첫 번째 이유이다.

〈덩케르크〉가 영화의 본질이 무엇인지를 증명할 수 있었던 또 다른 이유들은 아이맥스 카메라와 대사의 절제에 있다. 실제 덩케르크 해변에서 실제 철수가 있었던 계절에 아이맥스 카메라로 촬영한 해변과 바다와 하늘과, 크지 않아도 또렷하게 들리는 사운드는 우리가 영화를 퍼스널 컴퓨터나 스마트폰 화면이 아닌 극장에서 관람해야 한다는 것을 여실히 보여준다. 심지어 전투기의 비행과 전투 장면까지도 컴퓨터 그래픽이 아닌 아이맥스 카메라에 의해 촬영되었다. 크리스토퍼 놀란 감독은 인터뷰에서 "조종사 파리어가 모는 스핏파이어 전투기는 개인이 소장한 기체인데, 굉장히 조심스럽게 관리하면서 촬영했다. 소형 아이맥스 카메라를 전투기에 설치하고서 배우와 실제조종사가 함께 비행하면서 공중전 장면을 찍었는데, 정말 꿈만 같았다"고 밝힌다. 그리고 그 꿈같은 경험을 영화관의 관객 역시 체험한다. 이러한 체험은 아이맥스 상영관에서 화려하고 웅장한 볼거리를 즐길 때와는 다른 태도를 요구한다. 〈덩케르크〉는 화려하고 웅장한 전쟁 영화가 아니다. 생생한 현장감 속에서 관객이 온 몸의 감각으로 느끼는 것은 실제 현장과 유사한 체험을 통해 즉물적으로 체화하는 심리적인 공감이다.

이러한 감각적 체험과 심리적 공감은, 대사를 최소화함으로써 언어로 한정할 수 없는 잉여의 의미가 전달되면서 더 확장된다. 그 당시 전쟁 속에서 필사적으로 생존하고자 했고 생존을 도우려 위험을 무릅썼던 각각의 사람들의 이야기가 현재 나의 삶에 개별적인 의미로 이어지게 되는 것이다. 활자로 기록된 것을 머리로 이해하고 기억하는 것이 아니라, 온 몸의 감각으로 체험하고 각인하게 된다. 이것이 바로 영화적인 체험이다. 영화 〈덩케르크〉의 생생하고 광대한 시계視界는 눈에 보이는 것을 손에 잡힐 듯이 느끼게 한다. 관객으로 하여금 관람을 넘어서 체험하게 할 때 시청각매체인 영화는 온 몸의 감각이 열리게 하여 촉각적 체험의 환상까지 가능하게 한다. 이러한 감각적 체험은 인지적 수용으로 이어진다. 크리스토퍼 놀란 감독은 〈덩케르크〉를 통해 실화의 시간까지 재구성하는 편집의 미학을 과시하고, 아이맥스 영화를 통해서만 느낄 수 있는 것을 구축하면서 영화란 어떤 것인지 그리고 어떤 것이어야 하는지를 보여준다. 그가 보여준 것은 바로 영화의 본질이다.

이 채 원 _ dike97@hanmail.net
영화평론가. 서강대학교 국문과 졸업. 동 대학원 문학박사. 2013년 《동아일보》 신춘문예 영화평론 부문 당선. 주요 저서로 『소설과 영화, 매체의 수사학』 『영화 속 젠더 지평』 등이 있음. 나사렛대학교 교양학부 교수.

신카이 마코토 감독

너의이름은
your name.

감독/ 신카이 마코토
출연/ 카미키 류노스케,
카미시라이시 모네,
나가사와 마사미, 나리타 료,
유우키 아오이, 이치하라 에츠코,
시마자키 노부나가,
이시카와 카이토
각본/ 신카이 마코토
기획/ 후루사와 요시히로
음악/ 래드윔프스
음향/ 마이클 슈나이더,
스테파니 쉐, 마이클 신터니클라스,
앤서니 토토리치, 오스카 가르시아
편집/ 신카이 마코토

국가적 트라우마에 대한 위로
포스트모던을 반대하는 인류애
전통문화와 공상과학의 멋진 접목
상상력과 기술의 결합이 놀랍다. 선의가 이루어내는 기적을
목격하는 감동과 더불어 소소한 일상과 섬세한 감정들을
예리하게 포착하여 잔잔한 미소와 벅찬 감격이 교차하게 한다.
재난에서 희생된 자를 기억하고 그 시간을 되돌리려는 안간힘이
아름답고 아련한 화면에 담겨있다.

— 추천위원의 선정이유 中

結び, 시공간을 초월하는 일본적 판타지

— 신카이 마코토 감독 〈너의 이름은。〉

정지욱

한 달 뒤면 천이백 년을 주기로 지구 곁을 찾아오는 혜성 소식에 연일 떠들썩한 일본.

도쿄에 살고 있는 소년 '타키'와 산골 마을 이토모리에 살고 있는 소녀 '미츠하'에게 이상한 일이 벌어진다. 마치 자신이 다른 사람이 되어 그 사람의 생활을 지내는 꿈을 꾸는 것이다. 타키는 시골의 여학생, 미츠하는 꿈에 그리던 도시에서의 남학생이 되어 신기한 꿈 속을 맘껏 즐긴다.

2016 부산국제영화제 최고의 화제작

지난 2016년 10월 부산에서 열린 부산국제영화제에서 전날 늦은 밤부터 밤을 새며 티켓을 사기 위해 줄을 선 사람들을 볼 수 있었다. 세계적인 거장

의 화제작이나 출연한 배우들을 영화제에서 만나기 위해 관객들이 줄을 서는 일은 이십 년의 역사를 가진 부산국제영화제에서 그리 신기한 일은 아니다. 하지만 일본의 애니메이션 감독 신카이 마코토新海誠의 신작 〈너의 이름은。君の名は。〉을 만나기 위해 일반 관객은 물론 영화제를 찾은 게스트, 프레스 등의 뱃지를 발급받은 손님들도 함께 줄을 서가며 이 작품의 티켓을 손에 쥐기 위해 뜨겁게 경쟁하는 모습은 쉽게 볼 수 있는 광경은 아니었다. 해운대 일대 세 곳의 매표소에 300여 명의 사람들이 몰렸고, 발권 7분 만에 티켓이 매진되는 진풍경이 연출됐다.

작품 상영을 마치고 상영관을 나온 이들은 일반 관객은 물론 평론가, 기자들 모두 올해 부산국제영화제 최고의 작품이라며 엄지손가락을 세우고 칭찬을 아끼지 않았다.

시공간을 초월하는 일본적 판타지

반복되는 신기한 꿈이지만 이 꿈들은 계속 이어진다. 서로 성별도 다르고 환경도 달라 곤란해지기도 하지만 어느샌가 자신에게 일어난 일들을 기록해 서로 공유하고 교감을 나누게 된다. 그리고 스스로 기억하고 인지하는 시간과 장소들을 느끼며 두 사람은 깨닫게 된다.

"우린 서로 몸이 바뀐 거야."

꿈결 같지만 그것은 현실이었고, 단 한 번도 만난 적 없는 두 사람의 운명은 톱니바퀴처럼 서로 맞물려 돌아가기 시작한다. 가느다란 실타래 같은 기억의 끈을 놓지 않고 미츠하를 찾아가는 타키는 충격적인 진실을 마주하게 된다.

    마치 롤러코스터처럼 빠르게 전개되는 이야기와 긴장의 끈을 놓지 못하게 전개되는 서사 구조 속에 단 한순간도 스크린에서 눈을 떼지 못하는 관객들이지만, 두 청춘의 풋풋한 일상과 고민, 인간 관계를 들여다보며 가끔은 키득거리고 과거의 추억에 젖어보기도 한다.

    단순히 몸이 바뀐 청소년의 에피소드에서 시작한 이 이야기는 혜성이라는 신비롭고 거대한 우주의 힘과 시공간 이동이라는 일본 고유의 판타지를 스크린을 가득 채우며 관객들에게 커다란 감동의 울림을 선사한다.

인연, 그리고 시간이 담긴 전통문화

    이 작품은 미야자키 하야오_{宮崎駿}를 대표로 하는 일본 애니메이션답게 아름답고 풍요로운 자연 풍광을 배경으로 고교생이라는 청춘의 젊은이들의 이야기가 주축이 되고 있다. 또한 이야기 속에는 일본의 전통 문화가 듬뿍 배어있는 것이 특징이다.

일본의 전통 종교인 신도神道의 신사神社에 살고 있는 미츠하 가족의 생활을 통해 전통 사상을, 그녀가 살고 있는 마을의 축제를 통해 전통 문화를 보여준다. 대비된 모습으로 대도시 도쿄에 살고 있는 타키의 생활을 통해 핵가족화된 사회와 이 시대 젊은이들의 생활, 고민, 그리고 미래까지 작품 속에 담아내고 있다. 현재를 살고 있는 사람들의 인연을 시공간을 초월한 판타지로 엮어내는 품세가 매우 탁월한 작품이다.

미츠하의 할머니는 전통 매듭을 만드는 손녀들에게 "꼬이고 엉키고 때로는 돌아오고, 끊어지고, 다시 이어지고, 그것이 무스비結び, 그것이 시간"이라며 인연에 대한 이야기를 들려준다. 숨이 막히도록 빠르게 살아가야하는 현대인들에게 '인연'과 '시간'의 관계를 상징적으로 들려주고 있다. 동양적 사상을 배경으로 태어나고 자란 관객들이라면 아니 서양인들에게도 작품 곳곳에 배어 있는 메시지가 관람이 끝난 뒤에도 한참 머릿속에 맴돌게 될 것이다.

앞서 언급했듯 전통 문화가 듬뿍 담긴 애니메이션 작품은 미야자키 하야오의 〈이웃집 토토〉, 〈센과 치히로의 행방불명〉은 물론이며, 호소다 마모루細田守감독의 〈썸머워즈〉, 〈늑대아이〉 등의 근자에 만들어진 작품에서도 엿볼 수 있다.

작품에 담긴 우주의 초자연적 현상과 일본인의 호기심

이 작품에는 혜성이 등장한다. 그리고 스토리 전개에서 매우 중요한 역할을 하고 있다. 일본인들의 우주에 대한 호기심은 어떤 수준일까? 일본에는 민간 차원에서 천체 관측을 하는 수많은 아마추어 천문인들이 있다. 또한 이들을 상대로 다양한 기술과 장비를 제공하는 관련 산업이 매우 발달해 있다. 정부 차원에선 일본 국립천문대(N)와 미국의 항공우주국(NASA)에 해당

하는 기구인 일본항공우주국(JAXA)에서 다양한 우주개발계획을 세우고 국민들에게 많은 정보를 제공한다. 특히 방위성에서는 2022년도에 우주 상황을 감시하는 전문부대인 '우주·사이버 자위대' 창설한다고 발표했다. 비교적 최근인 2012년 5월에 일본에서 관측된 금환일식, 소행성 탐사 프로젝트인 '하야부사はやぶさ' 등은 일본의 우주에 대한 꿈과 천문학에 대한 희망을 키워나가는 소중한 요소가 됐다.

이들은 영화는 물론 문학, 미술, 음악 등 다양한 장르의 문화적 소재가 됐고, 이 작품에서도 중요한 모티브로 등장하게 된 것은 우연이 아니다. 작품에 등장하는 혜성 등의 천문 현상에 대한 과학자와 같은 전문가와 아마추어 천문인 사이에서 뜨거운 논쟁이 영화 밖에서 이어지며 영화와 과학 간에 시너지를 북돋우는 중요한 자산으로 축적되기도 했다.

2016년 일본 최고의 화제작

개봉 6주 만에 1000만 관객을 돌파한 이 작품은 지난 10월 17일 일본 교토통신共同通信에 의하면 개봉 두 달 만에 일본 내 흥행수입 154억 엔(약 1,686억 원)을 기록했고, 이후 1,900만여 명의 관객을 모아 250억 3천만 엔의 흥행수익을 기록하며 196억 엔을 기록한 〈하울의 움직이는 성〉을 뛰어넘어 일본 영화 역대 2위에 올랐다.

또한 2017년 한국에서도 개봉한 이 작품은 364만여 명의 관객이 들어 전체 17위를 기록했고, 292억 5천여만 원의 흥행수익을 냈다. 특히 일본 영화가 861만여 명의 관객을 모아 국적별 흥행 3위를 기록하는데 큰 견인차 역할을 했다.

이렇게 흥행에서 큰 기록을 세울 수 있었던 요인으로 작품에 담긴 따뜻한 메시지를 얘기할 수 있다. 이 작품 속에는 천재지변이 담겨 있다. 지난 2011년 동일본 대지진을 겪은 일본인의 상처를 어루만지고 따뜻한 희망을 안겨주는 작품이라는 점에서 이 작품이 지니는 의미는 더욱 중요하다.

부산국제영화제를 찾은 신카이 마코토 감독은 "대지진 이후 일본인들은 일상의 공포와 마주하고 있다. 하지만 그사이 나는 많은 사람의 기도와 소망을 느꼈다. 살아있어 줬으면, 행복해줬으면 하는 사람들의 바람을 모아서 화면에 담아내는 마음으로, 극장을 나설 때 행복하게 웃을 수 있는 작품을 만들려 했다."라고 작품을 만든 이야기를 들려줬다.

이 작품을 연출한 신카이 마코토 감독은 첫 작품인 〈그녀와 그녀의 고양이〉(1999), 〈별의 목소리〉(2002), 〈초속 5센티미터〉(2007)와 〈언어의 정원〉(2013) 등을 통해서 인연을 스크린에 담아내는 작업을 해왔다. 이전과 달라진 것이라면 닿을 듯 닿지 못하는 미완으로 남겨졌던 인연이 이번 작품에선 달리 표현됐다는 점이다.

세밀한 풍경화로 그려진 이 작품은 그의 일곱 번째 작품으로 세심하게 표현한 인물의 눈빛과 손짓, 대담하고 속도감 넘치는 뜀박질로 표현한 엇갈리는 운명과 감정선, 도시의 하늘과 저녁놀이 물드는 호숫가와 반짝이는 빛들의 향연은 신비로운 색채와 빛의 자연스런 조화를 이루어 평론가들로부터 '제2의 미야자키 하야오'라는 평가를 받게 했다.

우리 곁에 찾아와 속삭인 "너의 이름은?"

어린 시절부터 밤하늘의 별을 좋아했던 필자는 지금 살고 있는 정릉에서 시간과 여건이 허락하면 천체망원경을 설치하고 별을 보며, 촬영하고, 이따금 동네 아이들에게 별을 보여주기도 한다. 영화 평론을 하며 우주의 신비에 호기심이 큰 필자에게 지난해 절대적으로 추천하고픈 아름다운 자연과 광활하고 신비로운 우주의 섭리, 그리고 시간과 공간을 뛰어넘는 사랑을 들려주는 작품이 바로 〈너의 이름은〉이다.

지난 몇 년 사이 개봉했던 〈그래비티〉, 〈인터스텔라〉같은 웅장한 SF대작은 아니지만 우주의 신비와 사람들의 인연, 인간의 따스한 사랑을 넘치게 담아낸 작품이기 때문이다. 아름다운 대 자연의 모습, 가슴 쿵쾅거리던 청소년기의 아련한 추억, 그리고 광활한 우주의 신비를 담고 있던 이 작품은 지난 한 해를 뛰어넘어 지금도 우리에게 나직하게 속삭인다. "너의 이름은?"

정 지 욱 _nadesiko0318@gmail.com, nadesiko0318@naver.com
일본 Re:WORKS 서울사무소 편집장, 가톨릭문화원 어린이영화제 〈날개〉 수석프로그래머 겸 집행위원으로 활동 중이며, 동아일보 신춘문예 본심 심사위원, 일본 유바리국제판타스틱 영화제 본심 심사위원, 영화시민연대 대표 등을 역임했다.

도로타 코비엘라,
휴 웰치맨 감독

러빙 빈센트

감독/ 도로타 코비엘라,
휴 웰치맨
출연/ 더글러스 부스,
시얼샤 로넌, 제롬 플린,
에이단 터너, 헬렌 맥크로리,
크리스 오다우드,
존 세션스, 엘러니 톰린슨
각본/ 도로타 코비엘라,
휴 웰치맨, 야체크 데넬
촬영/ 트리스탄 올리버, 루카스 잘
음악/ 클린트 먼셀
편집/ 도로타 코비엘라,
유스티나 비에르신스카

애니메이션의 새 경지를 연 역사적 '그림 영화'.
시간과 노력의 아름다운 결실
스타리 스타리한 화면에 깃든, 만든 이의 수공이 돋보이는
영화가 실존 인물을 그려내는 독창적인 방법
유화 애니메이션의 경이로운 아름다움과
〈시민 케인〉식의 성찰의 만남
고흐의 시선과 내면에 눈을 맞추는 진귀한 경험이자, 숭고한 궤적!
기술이 곧 예술이 되는 영화매체의 가능성을
다시 한 번 확인하게 한다.
애니메이션이 결코 아이들의 독점물이 아니라는 것.
빈센트의 삶을 다른 사람의 눈으로 냉철히 평가하고 있다.

— 추천위원의 선정이유 中

그림과 영화의 결합을 추구하며
고흐의 삶과 정신에 다가서기

— **도로타 코비엘라, 휴 웰치맨** 감독 〈러빙 빈센트〉

곽영진

작년 11월 9일 국내 개봉한 애니메이션 영화 〈러빙 빈센트〉. 새해 들어 소위 아트버스터의 반열에 올랐고, 개봉 3개월을 맞은 시점부터는 극장가에서 자취를 감췄다. 〈러빙 빈센트〉는 40만 명 이상의 관객을 동원하며 1/4분기 아트영화 흥행 1위를 기록한 것을 포함, 국내는 물론 국제적으로 많은 관심과 화제를 낳았다. 더불어 중요한 의미도 생산해냈다.

영화에 대한 관심과 화제, 고흐 숭배 현상

먼저 국내에서는, 빈센트 반 고흐(1853-90)에 대한 관심이 크게 일어 그는 화가의 대명사뿐 아니라 예술가의 대명사가 되었다. 미국의 싱어—송라이터 돈 맥클린이 고흐의 삶과 예술 세계를 추모하며 발표한, 너무도 아름답고 슬픈 〈Vincent〉(1971)에 이어 이 땅에 새로 불게 된 고흐의 열기와 바

람이다. 〈Vincent〉는 〈러빙 빈센트〉의 OST에 주요 배경음악으로도 쓰였다. 허나, 〈Vincent〉에 대해 7080세대가 아주 오랜 기간 품었던 사랑은 기실 예술가 고흐에 대한 것이라기보다 가사의 뜻도 잘 모르고 들었던 노래와, 가수의 미성美聲에 대한 것이라 말해야겠다. 어쨌거나 빈센트에 관한 기념비적인 두 작품이다.

　〈러빙 빈센트〉가 죽음의 의혹을 추적하는 미스터리 장르영화 전략을 취했음에도, 결국 후반부에 와서 (자살을 했든 혹은 타살이나 자살을 당했든 그런 게 중요한 것이 아니라) '고흐가 어떤 삶을 살았는가' 하는 것이 중요하다는 점이 작품의 메시지로 전해졌음인가? 영화 개봉 후 그의 생애에 대한 관심이 널리 대중들 사이에 고조되었다. 그림도 중요하지만 외롭고 고난에 찬 비극적 삶의 전개, 또 그런 가운데서도 멈추지 않던 불굴의 투혼과 예술혼. 불쌍한 사람들(민중)과 여자에 대한 진실된 사랑 등…. 이제 와서 전문가와 대중으로부터 애호되지만 당시에 그는 시대와 불화하고 '그들'로부터 외면 받았다.

고흐는 오늘날엔 후기 인상파의 한 사람으로서 근대를, 가로질러 현대 미술로 나아가려 했던 창조적 혁신가, 위대한 화가로 기록된다. 허나 화가·비평가 등 일부 전문가 사이에서 그는, '과연 천재인가 아니면 노력형 수재인가'하는 의문도 없지 않고, '과연 전문가적으로 그림을 잘 그리는 사람인가' 하는 견해도 있다.[1]

영화 자체에 대한 국내 평단의 반응은 미국 등 해외에 비해 월등히 호의적이고 고무적이다. 이는 특히 한국과 일본의 문화예술계에 만연한 지극한 고흐 숭배 현상과, 그의 삶과 예술에 있어 정서적 측면에 대한 강한 이끌림과 무관치 않아 보인다.

영화(사)적 가치와 테크닉의 혁신성 문제

〈러빙 빈센트〉는 아카데미상 장편 애니메이션 부문에서 디즈니의 〈코코〉 등과 경합하면서 국제적인 화제를 낳았다. 그에 앞서 이 작품은 세계 최초의 유화 장편 애니메이션이란 점에서 영화사적으로 의의를 지닌다. 화가가 남긴 명화들을 그 화가의 화풍에 실어 영화의 배경 및 인물, 이야기로 풀어

---

1. 가령 '비틀즈가 노래를 최고로 잘 부르는가' 하는 질문을 낳기도 하는데, 비틀즈 음악의 위대성은 보컬의 가창력에 있지 않은 것과 비슷한 이치, 맥락의 문제라 하겠다. 그래서일까? 돈 맥클린은 이렇게 노래했다.
They would not listen, they're not list'ning still
그들은 들으려 하지 않았고, 여전히 들을 줄 모르고
Perhaps they never will.
아마 절대 들으려 하지 않을지도 몰라요.

내 전무후무한 시도이고 영화가 시대의 풍속과 당시 예술계 그리고 실존 인물들을 그려내는 독창적인 방법을 구현하였다는 점에서도 미학성이 인정된다. 107명의 화가들이 2년여 동안 무려 62,450점의 유화 쇼트(매개每個 프레임의 이미지)를 나누어 직접 그려내는 등 '불가능'에 가까운 이 프로젝트의 완성은 기획 단계에서부터 제작기간만 총 10년이 소요되었는데, 이 점 또한 특기할 만하다.

부연하면 이 작품은 수년간 그림과 영화의 결합을 열정적으로 추구한 젊은 감독이 영·미의 국제적인 메이저 제작사와 결합하고 투자와 배급 확보에도 성공해, 기획 단계에서부터 '거대한' 상업적 프로젝트로 출발했다. 요컨대 상업영화를 겸한 예술영화다. 고흐의 주요 작품들을 CG 없이 특유의 강렬한 유화 필치筆致로 스크린에 구현한다는 놀라운 기획과 온라인 마케팅으

로 제작 전부터 세계의 미술, 영화 팬들을 설레게 한 글로벌 프로젝트이다.

〈언더 더 스킨〉(2013)의 제작자와 〈블랙 스완〉(2010)과 〈스토커〉(2013, 박찬욱)의 음악감독, 〈이다〉(2013)로 아카데미에 노미네이트된 촬영감독 그리고 세계 각지에서 모인 4천여 명의 유화 화가들 중 오디션을 통해 선발된 107명의 화가가 제작에 동참했다. 고흐 그림들의 재구성-재현에 있어 CG를 전면 배제한 것은 "고흐의 감정을 전달하고 정신을 제대로 느끼게 하려면 실제 그림을 그리는(모사하는) 것이 옳다."라는 감독의 입장과 의지 때문이었고, 그래서 고흐 특유의 붓질과 색채가 스크린에 '구현된' 것이다.

영화의 메인 연출가인 도로타 코비엘라(여, 폴란드)는 신진 화가 출신의 단편 애니메이션 감독이다. 단편 〈꼬마 우편배달부〉(Little Postman, 2011)로 국제무대에 이름을 알렸고 3D 장편 〈플라잉 머신〉(2011)에서 부분 연출을 거쳐 〈러빙 빈센트〉의 각본·연출로 감독 데뷔했다. 애니메이션 제작자 휴 웰치맨이 영화의 공동 각본·연출에 이름을 올렸다.

개봉 후 영화 자체에 대한 해외 평단의 반응은 미국, 영국 등에서 그리 높지만은 않았다. IMDB.com과 Rottentomatoes.com에 나타난 Top Critics 등 6.2와 6.6의 전문가 평점 및 리뷰, 코멘트가 그 예다. '불만자'들은 제작 방식과 테크닉의 새로움은 어느 정도 인정하나 표현 효과의 적절성, 특히 스토리텔링 방식의 적절성에 대해 부정적인 평가를 내렸다.

스토리텔링의 이중전략 그리고 미술과 영화의 결합

〈러빙 빈센트〉는 빈센트의 비극적인 죽음에 대해 자살인가 타살인가 하는, 죽음 이면에 얽힌 미스터리를 추적하는 흥미로운 스토리텔링 전략을 구사했다. 그런 가운데, 그의 유명 초상화 속 인물들의 입을 빌려 빈센트에 대해 이야기하고 그의 작품을 통해 그가 살았던 삶과 그가 보낸 일상을 다각도로 보여주는 또다른 전략을 구사했다. 영화(사)적으로 보았을 때 전자, 즉 스토리텔링의 장르적 전략은 특별한 의의를 획득하는 것은 아니지만 후자의, 스토리텔링의 형식적·방법적 전략은 특별하다. 부언하면, 우리가 일찍이 보았던 그리고 영화 감상 중에 보는 빈센트의 그림이 영화 속 풍경과 거리와 건물로 변하고 인물로 살아 움직이며, 또 그 인물들이 갈등 구조를 맺으면서 스토리가 진행되는 진기한 체험을 하게 되는 것이다.

〈러빙 빈센트〉에서 인물의 움직임은 개개의 씬을 사전에 직업 배우들이 연기하게 하고 그 라이브 액션에 시각효과가 결합된 화면을 사후에 동화動畵로 구현하는, 그러니까 촬영되고 조합된 화면을 캔버스에 영사한 후 붓질―채색으로 덧입히고 다른 배경그림과 합성도 하며 한 프레임 한 프레

임씩 애니메이팅하는 제작 방식을 기본으로 삼았다. 이는 'painting on cell' 방식으로는 불가능하여 화가들을 위해 특별히 제작된 PAWS(페인팅 애니메이션 워크스테이션)에서의 2년간의 작업으로 실현되었다. 한편, 캐스팅은 실제 인물의 사진이나 초상화와 닮은 배우들을 골라서 했고, 배우들의 연기 장면은 모션 컨트롤 시스템을 이용해 촬영함으로써 움직임을 자연스럽게 만들었다. 물론 이 기법은 새롭지 않다.

어떤 그림들이 모사되고 어떻게 재현되었나

영화에서 빈센트의 모습은 그가 죽기 직전 가장 가까웠던 인물들을 통해 조금씩 드러난다. 영화의 시점(始點이자 時點)은 빈센트 반 고흐의 사후 1년, 그의 소울메이트나 다름없던 테오 반 고흐의 사후 6개월이기도 하다.

빈센트의 죽음을 추적하는 영화 주인공 아르망은 〈우체부 조셉 룰랭의 초상〉에서 그 조셉의 아들이며 〈아르망 룰랭의 초상〉에서 주인공이기도 한 아르망이다. 그를 연기한 배우는 영국의 더글러스 부스. 출연 분량이 적은 빈센트 역의 조연 배우로는 무명의 로버트 굴라직이 나온다.

아르망은 빈센트가 복부에 총상을 입고 죽기 전 10주 동안 머물렀던 파리 근교의 오베르 쉬르 와즈Auvers sur Oise의 라부 여관에 묵는다. 그는 여관 주인의 딸 아들린 라부(엘리너 톰린슨), 빈센트의 후원자이자 주치의인 폴 가셰 박사(제롬 플린)와 그 딸인 마르그리트 가셰(시얼샤 로넌), 빈센트가 강가에서 그림을 그리는 모습을 지켜봤던 뱃사공까지 많은 사람들과 이야기를 나누면서 빈센트의 놀라운 삶과 열정에 대해 이해하게 된다.

오프닝은 표현주의적이면서도 일견 비非구상적 요소가 어린 〈별이 빛나는 밤〉으로 시작해, 낮인지 밤인지 판단할 수 없는 하늘의 짙은 청색이 화면의 반을 점하고 있는 〈아를의 노란 집〉을 지나 〈즈아브 병사의 반신상〉의 혼란스러운 얼굴로 넘어간다. 황홀한 초반 장면에 이어서 고흐가 아를(아를르)에 머물던 시절, 고갱과 즐겨 찾던 장소인 〈아를의 포룸 광장의 카페 테라스〉가 등장한다. 이처럼 짙은 파란색과 밝은 노란색의 강렬한 색채 대비는 물리적 세계에서 느껴지는 주관적인 감정을 가장 중요하게 여겼던 그의 철학을 엿보게 해준다.

편지를 전하기 위해 프랑스 아를을 떠나 고흐가 죽기 전 마지막으로 머물렀던 오베르 쉬르 와즈로 떠나는 아르망의 여정 속에서 관객들은 〈오베르의 평원〉, 〈까마귀가 있는 밀밭〉, 〈오베르 쉬르 와즈의 교회〉, 〈오베르쉬르 와즈의 짚더미〉, 〈비 온 뒤 오베르의 풍경〉을, 이어서 〈몽마르트르 언덕의 전망대〉, 〈농가 근처의 건초더미〉 등과 같은 고흐의 유명 풍경화를 만나게 된다. 한편 아르망은 고흐를 후원했던 미술 재료상인 탕기 영감과 고흐가 죽기 직전까지 머물렀던 여관집 딸 아들린, 고흐의 주치의 폴 가셰, 고흐와 다소 친밀한 관계에 있었던 처자 마르그리트 가셰 등을 만나 인간 고흐에 대한 이야기를 전해 듣게 된다. 관객들은 여기서 고흐의 대표작인 초상화 〈탕기 영감의 초상〉, 〈라부 양의 초상〉, 〈피아노에 앉은 가셰의 딸〉, 〈가셰 박사의 초상〉을 확인할 수 있다. 영화 속 등장하는 고흐의 작품은 130여 점으로 이 중 94점의 그림이 원작과 유사하게 재구성되고 표현되었다. 나머지 그림 또한 영화 속 시점에 맞는 풍광과 조명 그리고 스크린 비율에 맞는 프레임으로 변형되어 고흐 작품의 일부를 표현하고 있다. 여기서 시점이란 계절 및 시간대를, 스크린 비율이란 가로67×세로49cm의 캔버스와 동일하게 제작된 와이드 화면 비율을 말한다.

하지만 〈러빙 빈센트〉는 영화 속에서 장면화된 그림 이미지들이 고흐의 실제 그림이나 화풍과는 근사치에 머물고 또 앞·뒤 장면에서 반복하여 나오는 그림(또는 화면)의 인물 및 풍경이, 각기 다른 화가에 의해 그려짐으로써, 이따금씩 다르게 표현된다는 점 때문에 미술 마니아들의 비판을 사기도 한다. 영화적으로는 유화가 주는 두터운 질감과 고흐적인 강한 붓터치의 압박감, 또한 추리극 분위기를 내기 위한 애니메이션 페이스의 빠른 속도감까지 '다소 산만하다'는 지적이 있다.

루저의 시선과 탈脫근대적 미학관

고흐는 "나는 영원한 것에 관심이 있다. 한 사람의 얼굴을 통해 그 사람의 내면에 깔린 영원함을 색채의 진동과 발광을 통해 표현하고 싶다."라는 언술에도 나타나지만 〈별이 빛나는 밤〉 등 주로 초상화 이외의 작품들로써,

보이는 것을 통해 보이지 않는 것像을 전달하려는 탈근대적 미학관을 세상에 던졌다. 후기인상파적 이미지, 곧 심리적으로 주관화된 내면의 상이 지닌 한계마저 넘어서려 했던 듯하다.

"대부분의 사람들의 눈에 나는 무엇일까. 아무도 아니다. 별 볼일 없고 유쾌하지 않은 사람. 전에도 그렇고 앞으로도 절대 사회적 지위를 얻을 수 없는 바닥 중의 바닥. 그럼에도, 이 모든 얘기가 사실이라도 언젠가는 내 작품을 선보이고 싶다. 이 보잘 것 없는 내가 마음에 품은 것들을…."

너무나도 외롭고 가난과 질병에 시달리던 무명의 빈센트가 동생 테오에게 보낸 편지 내용이다. 스스로를 바닥 중의 바닥이라 규정하면서도 가슴에 희망을 품고 결코 포기하지 않았던, 관객의 마음을 저미고 눈시울을 적시는 그의 한때 다짐.

〈러빙 빈센트〉에서 아르망의 대독代讀으로 흘러나오던 바, 이런 그의 말과 함께 영화는 론 강의 별이 빛나는 밤하늘을 그리고 자화상을 그리는 빈센트의 모습을 비추며 끝이 난다.

곽 영 진 _ 7478383@hanmail.net
영화평론가이며 인문학강사, 영상물등급위원회 위원, 전 (사)한국영화평론가협회 총무이사,
문체부 국제영화제 평가위원, 영화진흥위원회 예술영화인정소위 위원,
정보통신윤리위원회 상임위원, 영상물등급위원회 비디오소위원회 의장,
부천국제영화제·대종상·부일영화상 심사위원.

케네스 로너건 감독

맨체스터 바이더 씨

감독/ 케네스 로너건
출연/ 케이시 애플렉, 미셸 윌리엄스,
카일 챈들러, 루카스 헤지스,
리암 맥네일, C.J. 윌슨, 헤더 번스,
조쉬 해밀턴
촬영/ 조디 리 리페스
음악/ 레슬리 바버
음향/ 제이콥 리비코프
편집/ 제니퍼 레임

견딜 수 없는 일을 견뎌야 하는 것이 인생이거늘.
상실에 가장 가깝게 다가간 윤리적인 카메라의 힘
슬픔은 흐르는 강물처럼
기억과 탈-기억의 위력을 웅변하는 걸작 휴먼드라마.
흔들리지 않는 삶이 어디 있으랴.

— 추천위원의 선정이유 中

견딜 수 없는 슬픔,
그래도 견뎌진다는 것

— 케네스 로너건 감독 〈맨체스터 바이 더 씨〉

조재영

이 영화를 생각하면 회색빛 이미지가 떠오른다. 초점 흐린 주인공의 눈빛, 살을 에는 듯한 추위, 을씨년스러운 바닷가 풍경은 하나로 뭉뚱그려져 흑백 영화처럼 아련하다. 머릿 속 이미지는 차가운데, 가슴은 뜨거워진다. 슬픔을 강요하지 않는데도 가슴이 저릿하고, 겨울 바다의 거센 파도처럼 밑바닥에서 감정이 올라온다.

이름도 낯선 미국의 한 해안가 마을 주인공의 사연은 마치 내 이야기인 듯, 이웃집 이야기인 듯 다가온다. 특별한 사연을 지녔지만, 특별한 사건이 일어나는 건 아니다. 뚜렷한 기승전결도 없다. 보통의 영화처럼 치유로 끝나는 결말도 아니다. 크나큰 슬픔을 겪은 남자의 삶을 차분하게 관조할 뿐이다.

우리는 남의 슬픔과 고통을 잘 알지 못한다. 그 크기를 짐작할 뿐이다. 어

떤 사람에게 산다는 것은 곧 지옥이고, 형벌일 수 있다. 아무리 세월이 지나도 익숙해지지 않는데, 우리는 섣부른 위로를 건네곤 한다. 이 영화는 치유할 수도, 극복할 수도 없는 상처도 있다는 것을 보여준다. 시간이 지나면 조금은 옅어질 지는 몰라도 낙인처럼 평생 안고 가야 할 상처 말이다.

두 남자가 슬픔을 견뎌내는 방식

리 챈들러(케이시 에플렉 분)는 미국 보스턴에서 아파트 관리를 하며 살아간다. 화장실에 물 새는 곳을 잡고, 막힌 변기를 뚫고, 쌓인 눈을 치운다. 그가 사는 곳은 반지하 방. 볕도 제대로 들지 않는 방이다. 그곳에 홀로 앉은 리는 감옥에 갇힌 수감자 같다. 무기력한 눈빛과 무표정한 얼굴, 힘 없는 말투는 그 스스로 세상과 등지고, 수형의 길로 들어섰음을 보여준다.

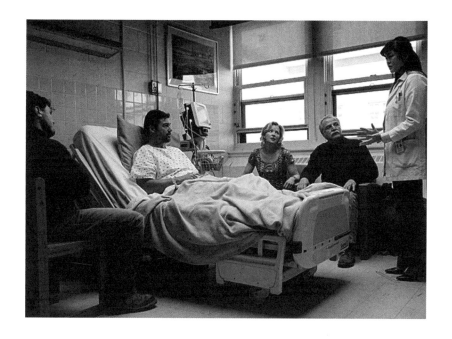

리는 툭하면 화를 낸다. 입주민들로부터 무례하고, 불친절하다는 민원이 쏟아진다. 결국, 관리소장에게 한소리를 들은 리는 화를 못 참고 술집에서 주먹다짐을 벌인다.

세상과 담을 쌓은 의도된 자학과 분노를 조절하지 못하는 그의 양면적인 모습은 숨은 사연이 있음을 암시하고, 궁금증을 불러일으킨다.

리는 형인 조 챈들러(카일 챈들러)가 위독하다는 전화를 받고 서둘러 고향인 맨체스터바이더씨로 차를 몬다. 리가 병원에 도착했을 때 형은 이미 숨졌다. 이혼한 형수는 소식이 끊긴 지 오래다. 겨울이라 땅이 꽁꽁 얼어 시신을 당장 땅에 묻을 수도 없다.

형의 유언장을 확인하던 리는 16살짜리 조카 패트릭(루카스 헤지스)의 후견인으로 형이 자신을 지목한 사실을 알고, 큰 혼란에 빠진다. 이 대목에서 그의 아픈 과거가 플래시백으로 드러난다. 그는 왜 그토록 후견인이 되기를 주저하는 걸까.

리도 한때는 아내 랜디(미셸 윌리엄스)와 세 아이를 둔 행복한 가장이었다. 그러나 한순간의 실수로 세 아이를 모두 잃고, 아내도 떠났다. 가해자인 동시에 최대 피해자인 그는 그의 행위가 '실수였다'는 이유로 어떤 처벌도 받지 않고 풀려난다. 그때부터 형벌 같은 삶이 시작됐다. 고통과 슬픔을 가슴에 욱여넣고는 스스로 벌주듯 살아간다.

그러나 가끔 불쑥불쑥 끓어오르는 감정을 참기 힘들다. 그럴 때마다 거친 욕설을 내뱉고, 싸운다. 리의 이런 행동은 사실 자신을 향한 분노이지만, 세상을 향해 '도와 달라'는 절박한 요청처럼 들리기도 한다. '너무 힘드니, 한 번쯤 봐 달라'는 절규 말이다.

여기 또 한 명의 남자가 있다. 리의 조카 패트릭이다. 고등학교 하키부 주전 선수이자 록밴드 리더인 그는 아버지가 돌아가신 뒤에도 친구들과 모여 밴드연습을 하고, 여자 친구네 집에서 데이트를 한다. 그런 그가 냉동실 문을 여는 순간 발작을 일으킨다. 와르르 쏟아져 나온 냉동육들은 도로 집어넣어도 자꾸만 삐져나온다. 패트릭은 가슴을 부여잡고 오열한다. 아직 땅에 묻지도 못하고 영안실에 보관돼있는 아버지의 시신이 떠올라서다. 실감 나지 않던 상실의 슬픔은 그렇게 일상 속에서 불쑥, 느닷없이 찾아온다. 슬픔의 본모습을 가장 압축적으로 잘 드러내는 장면일 듯하다.

장례와 후견인 문제로 잠시 한 집에 머물게 된 리와 패트릭은 쉴 새 없이 싸우고 상처 주는 말을 쏘아붙인다. 돌이라도 하나 날아들면 곧바로 성난 파도로 돌변해 주변을 삼킬 것처럼 둘 다 날이 서 있다. 두 사람은 과거에 다정한 삼촌, 조카 사이였다. 형이 굳이 아들의 후견인으로 동생을 지정한

것도 서로의 버팀목이 되라는 배려였을 것이다.

극작가 출신인 케네스 로너건 감독은 뛰어난 각본과 섬세한 연출로 특별한 서사 없이도 137분의 러닝타임을 꽉 채운다. 한 발짝 떨어져서 리를 바라보는 관찰자 시점은 생각할 여유를 주는 동시에 리에게 감정 이입을 하도록 만든다. 한 사내의 슬픔과 고통을 보면서 각자의 경험을 떠올리는 관객도 제법 있을 것이다.

배우 케이시 애플렉은 리 챈들러 그 자체다. 슬픔과 분노, 죄책감 등 복잡한 내면을 눈빛과 표정만으로도 밀도 있게 표현해냈다. 그가 아닌 리 챈들러는 상상이 안 갈 정도다. 지난해 아카데미는 그에게 남우주연상 트로피를 안겼다. 그가 성추문에 휩싸이지 않았다면 많은 갈채를 받았을 것이다. 애

플렉은 2010년 다큐멘터리 〈아임 스틸 히어〉 제작 현장에서 여성 스태프를 성희롱한 혐의로 고소당했다. 고소는 합의로 마무리됐으나, 애플렉이 아카데미상을 받은 게 적절한지 논란이 일었다. 예술가와 예술 작품을 편견 없이 온전히 분리해서 봐야 하는지, 아니면 하나로 봐야 하는지에 대한 근본적인 질문이다.

나뭇가지에 새싹이 솟아오르고, 얼어붙은 땅이 풀린 봄날, 드디어 조의 시신은 땅에 묻힌다. 리와 패트릭은 장례를 치른 뒤 집으로 발길을 돌린다. 패트릭은 무심한 듯 공을 땅에 튀기고, 리는 이를 받아 되받는다. 카메라는 공을 주거니 받거니 하는 두 사람의 뒷모습을 담는다. 리는 끝내 조카의 후견인이 되길 거부한다. 그러나 이들의 발걸음은 좀 더 가벼워 보인다. 작은

변화지만, 그래도 희망으로 읽힌다.

플래시백, 장소의 힘

이 영화에는 플래시백(과거 회상 장면)이 많이 등장한다. 리가 죽은 형의 소지품을 찾을 때, 고향 거리를 운전할 때, 변호사와 상담할 때 그의 과거는 불쑥 튀어나온다. 시시때때로 전환되는 플래시백은 리의 사연과 복잡한 심경을 보여준다. 그가 여전히 과거 속에 머물러 있음을 말하는 듯하다.

'맨체스터바이더씨'는 우리가 흔히 알고 있는 영국의 도시 맨체스터가 아니다. 미국 매사추세츠 주의 에섹스 카운티에 있는 작은 도시로, 영화의 촬영 장소이기도 하다. 리에게는 추억이 깃든 고향이지만, 악몽의 장소이기도 하다. 인구 5천여 명에 불과한 그 곳에서 리를 모르는 사람은 없다. 리가 나타나자마자 뒤에서 수군댄다. "저 사람이 리 챈들러야? 그 리 챈들러?" 모두가 그의 실수를 기억하고 전해 들어 알고 있지만, 이해하는 것은 아니다. 누군가는 이렇게 말한다. "당신이 겪은 일을 알아줄 사람은 없어요." 고향을 아예 등질 수도, 돌아갈 수도 없는 리는 한 시간 반 정도 떨어진 도시 보스턴에 터를 잡고 고향 주변을 맴돈다.

그러나 리의 맺힌 응어리가 풀린 곳은 결국 고향이라는 점에서 제목은 상징적이다. 슬픔은 괴롭더라도 직시해야 치유할 수 있다. 힘들면 힘들다고 말해야 마음의 응어리가 남지 않는다. 리가 고향 길거리에서 헤어진 아내 랜디(미셸 윌리엄스)를 만난 것은 어쩌면 우연이 아니었는지 모른다. 새 남편을 만나 아이를 낳은 랜디는 리를 만나 마음 속에서 수없이 되뇌었을 법한 말을 건넨다. "당신도 마음 아팠을 거야. 그럴 필요 없었는데, 못 할 말을 했어. 지옥에 가서 벌 받을 거야. 내가 잘못했어. 죽지 마. 사랑해."

아마 랜디는 돌이킬 수 없는 실수를 한 남편에게 증오 섞인 모진 말들을 퍼부었을 것이다. 그 말들은 리의 상처를 후벼 파고 덧나게 했을 것이다. 그리고 응어리로 맺혔을 것이다. 랜디와의 해후 이후 눌러왔던 감정이 폭발한 리는 패트릭에게 처음으로 속내를 털어놓는다. "난 이겨낼 수가 없어. 잊히지가 않아." 그 슬픔의 무게가 고스란히 전해져 가슴이 미어온다. 그래도 그가 여태껏 한 번도 입 밖에 꺼내지 않았던 말이다. 그가 조금씩 마음의 문을 열고 있다는 희망과 긍정의 신호가 아닐까. 그렇게 삶은 살아지는 듯하다.

조 재 영 _ fusionjc@yna.co.kr
연합뉴스에서 영화담당 기자로 일하고 있음.

배리 젠킨스 감독

MOONLIGHT
문라이트

감독/ 배리 젠킨스
출연/ 마허샬라 알리,
나오미 해리스,
알렉스 R. 히버트,
애쉬튼 샌더스,
트래반트 로즈, 자넬 모네,
안드레 홀랜드, 자럴 제롬
촬영/ 제임스 렉스톤
음악/ 니콜라스 브리텔
편집/ 냇 샌더스, 조이 맥밀런

달빛처럼 젖어드는 처연한 감동
다양한 스펙트럼으로 풍성한 이야길 들려준 내공 깊은 이야기
처연한 은유와 가슴 시린 상징으로 담아낸 '인간의 탄생'
월광은 일광보다 아름답다.
강렬함 뒤에 숨어있는 묵직함 '행복은 어디에'
끊이지 않는 사이렌 소리와 일상적인 젠더 검열 속에서도 시와
사랑을 일궈내는 슬럼가 소년들의 이야기.
그들의 우울(blue) 또한 고통과 아름다움 사이에 묘하게 걸쳐있다.
어지러운 성장통, 그 질감에 대한 빛나는 성찰
성장영화로서 너무 가슴 아픈 영화.
걸림돌이 될 모든 것을 넘어서야하는 샤이론의 결정에 박수를.

— 추천위원의 선정이유 中

'나는 나'라고 말할 수 있게 만드는 힘

— 배리 젠킨스 감독 〈문라이트〉

설규주

흑인의 '모습'만으로도 은은하게 전해지는 인종 문제

〈문라이트〉는 철저히 흑인 영화다. 이 영화에서 가장 많이 등장하는 단어를 하나 꼽으라면 아마 '니거(nigger, nigga)'일 것이다. 많은 대사 속에서 이 단어는 마치 말버릇이나 일종의 접미어처럼 따라 붙는다. 이 단어는 일반적으로 금기시되지만 영화 속 흑인들 사이에서는 아주 일상적으로 사용되고 있다. 흑인들 사이에서 '니거'는 욕이 아니라 친밀감을 나타낼 때 흔히 쓰인다는 것을 생각하면 오히려 자연스러운 일이다.

이 영화에는 백인이 거의 등장하지 않는다. 주요 등장인물의 주변 인물로도, 심지어 길거리 행인으로조차도 백인은 보이지 않는다. 샤이론을 체포하는 경찰, 케빈의 식당에서 밥을 먹는 손님 정도가 얼핏 보기에 백인이라면 백인이라고 할 수 있을 뿐이다. 그래서 이 영화에서는 백인에 의한 명시적

인 인종 차별은 등장하지 않는다. 영화 속 등장인물 간의 모든 상호작용은, 인종이라는 측면에서 볼 때는, 흑인과 흑인 사이에서 일어난다.

그런데도 이 영화는 인종과 관련된 어떤 불편함 혹은 메시지를 계속 주고 있는 것 같다. 흑인들만 보이는 거리, 흑인 아이들만 다니는 초등학교, 흑인 아이들만 노는 운동장, 흑인 손님만 보이는 패스트푸드점, 흑인 학생과 흑인 교사만 보이는 고등학교 등은 마이애미 어디쯤엔가 속할 이 지역 흑인들이 다른 공동체와 분리되어 따로 살고 있는 것 같은 인상을 준다. 그리고 이 지역은 마약, 가난, 폭력, 섹스, 무책임, 질 낮은 음식 등이 등장하는 장면과 함께 묘사되면서 자연스럽게 부정적이고 위험한 이미지와 연결된다. 그것은 곧 이 지역 거주자들인 흑인의 이미지와 다르지 않다. 이처럼 백인과의 눈에 띌만한 마찰이나 긴장 없이도, 흑인이 태생적으로 구조적으로 불리

한 환경 속에 놓여 있음을 보여주는 것만으로 이 영화는 인종 문제를 미묘하게 드러낸다.

세 개의 이름, 하나의 정체성

〈문라이트〉의 영화 포스터에 크게 나와 있는 한 인물의 얼굴은 세 개로 나뉘어 있다. 영화를 다 보고 나서야 그 얼굴이 각각 샤이론의 유년기, 청소년기, 성인기의 그것임을 알 수 있다. 포스터의 얼굴처럼 영화도 세 부분으로 나뉘어 있고 주인공의 연령대에 따라 각각 [리틀], [샤이론], [블랙]이라는 제목이 붙어 있다. 이 제목은 주인공의 이름 혹은 별명이면서 각 시기 주인공의 이미지이기도 하다.

1부 [리틀]에서 유년기 샤이론은 리틀Little이라는 별명으로 불린다. 별명처럼 샤이론은 작다. 게다가 연약하고 수줍어 보인다. 그리고 '게이'라는 놀림을 받고 괴롭힘을 당한다. 그러한 경험은 샤이론을 더욱 소심하고 자신감이 없는 아이로 만든다. 후안과의 만남이 일시적으로 샤이론을 두려움과 외로움에서 벗어나게 해 주었고, 훗날 샤이론의 변화와 성장에 영향을 주는 씨앗으로 작용하기는 했지만, 적어도 이 시기에 샤이론은 여전히 리틀로 남아 있다.

2부 [샤이론]에 등장하는 고등학생 샤이론Chiron 역시 리틀과 비슷한 모습을 보인다. 키는 커졌지만 몸은 비쩍 말랐다. 여전히 말수는 적고 겁이 많다. 동료 학생들은 더욱 노골적으로 '게이'라고 놀리지만 샤이론은 그러한 괴롭힘에 익숙하다. 때로는 자신을 향한 부당한 말과 행동에 대해 욕을 하며 저항도 해 보지만, 상대방의 위협에 금세 꼬리를 내리고 만다. 그랬던 샤이론이 머지않아 진짜 '샤이론'이 된다. 더 이상 리틀이라는 이름이나 이미지에 갇힐 수 없는, 다시 말해서 샤이론을 샤이론이 되게 하는 것들을 발견하고 표출한다. 거기에는 모두 케빈이라는 친구가 개입되어 있다. 한 번은 케빈과의 접촉을 통해 샤이론 자신의 성적 지향을 처음 발견하고, 다른 한 번은 믿었던 케빈이 행사한 폭력을 계기로 결코 "순하지 않은not soft" 자신의 본성을 드러낸다.

3부 [블랙]에서 성인이 된 샤이론은 확 달라진 외모를 보여준다. 과거에 리틀이라고 불리며 괴롭힘 당하던 그가 맞는지 알아보기 힘들 정도다. 성인 샤이론은 단단한 근육질의 몸매를 가졌고 강한 이미지가 느껴진다. 마약 거래상으로 먹고 사는 샤이론이 그 위험한 현장에서 버텨 내기 위해서는 리틀의 유약함 대신 그런 강인한 모습이 필요했을 것이다. 약물중독으로 인생의 실패를 경험한 샤이론의 엄마는 샤이론이 마약 관련 일에서 손 떼기를 바라며 샤이론의 마음이 자기처럼 어둡지black 않기를 바란다고 말한다. 그런데 정작 샤이론은 블랙이라는 이름과 이미지를 이미 자신과 결부시켜 놓은 것 같다. 샤이론의 자동차 번호판에 새겨진 알파벳의 배열이 BLACK이었다. 거기에는 또 다른 이유가 있다. 샤이론이 기억에서 지워 버리고 싶어 했던 그 폭력 사건 이후 10년 만에 운명처럼 어떤 전화를 받는다. 자신에게 전화를 건 사람이 누구인지 알 수 있게 한 단서는 전화를 건 사람의 목소리나 그의 이름이 아니었다. 전화를 건 사람이 부른 자신의 별명, 즉 "블랙"이었다. 자신을 그렇게 부르는 사람은 케빈이 유일했기 때문이다. 10년 만에 다시 케빈에게 블랙이라고 불린 이후, 샤이론은 복잡하면서도 설레는 마음을 감추지 못한다.

세 개의 이름을 가진 샤이론은 세 개의 정체성을 가지고 산 것일까? 샤이론은 성장하면서 정말 다른 사람이 된 것일까? 아닌 것 같다. 그보다는 샤이론에게 이미 내재되어 있던 요소들이 마침내 분출한 것 같다. 샤이론은 이미 유년 시절에 후안에게 자신이 게이냐고, 자신이 게이인 것을 언제 알 수 있냐고 물었다. 후안은 리틀에게 너는 게이가 아니라고, 그리고 때가 되면 그냥 알게 된다고 일러 준다. 유년 시절부터 친구였던 케빈은 늘 당하기만 하는 리틀에게 넌 순한soft 아이냐고 물었다. 그때 리틀은 자신은 순하지 않다고 답한다. 성인이 된 샤이론이 마약 재활 치료를 받는 엄마를 껴안고 용서하는 모습의 뿌리도 이미 어린 샤이론에게서 찾아볼 수 있다. 리틀은 후안이 자기 엄마에게 약을 파는 것을 확인하고는 실망스러운 듯 후안의 집을 떠나온 적이 있다. 비록 약을 하는 엄마이고 자신을 제대로 돌보지 못하는 엄마일지라도, 샤이론에게 엄마는 엄마인 것이다. 성적 지향에 대한 인식, 순하기만 하지는 않은 본성, 엄마를 미워하면서도 애정을 간직하고 있

는 마음은 모두 원래부터 샤이론의 것이었다. 후안의 표현처럼 "때가 되자" 드러난 것뿐이다. 그렇게 본다면 그가 어떤 이름으로 불리든 샤이론은 늘 샤이론이다.

마이너 속의 또 다른 메이저와 마이너

영화 속 학생들의 괴롭힘과 방관을 보면 자기 자신도 어떤 기준으로는 소수자로 차별을 당하면서 왜 또 다른 소수자를 괴롭히는 것일까 하는 의문이 들기도 한다. 각 사람이 사회에서 차지하는 지위는 매우 복합적인 기준에 의해 결정된다. A라는 기준을 적용하면 동질적인 범주에 묶여 유사한 지위를 가질 사람들이, B라는 또 다른 기준으로는 서로 다른 계급으로 구분될 수 있다. '인종'이라는 기준에 따르면, 괴롭혔던 터렐과 괴롭힘 당했던 샤이론은 모두 흑인에 속한다. 자기들끼리 괴롭히고 복수하고 할 것이 아니라, 모두 사회적 소수자로서 오히려 서로 유대감을 갖고 여전히 남아있는 인종 차별적 관행이나 제도 등과 같은 거대한 문제 해결을 위해 함께 가야 하는 사람들이다. 아마 '부'라는 기준으로 볼 때도 그 둘은 모두 하층 계급에 속할 것이다. 싸우기보다는 오히려 서로 손을 잡아야 하는 범주에 속한다고 할 수 있다. 그런데 세상에는 사람을 평가하고 가르는 기준이 그것 말고도 많다.

'인종'이나 '부'가 아니라, 예를 들어 '신체적 특징'이라는 또 다른 기준을 적용하면 금세 다양한 계급으로 분화될 수 있다. '키'나 '힘'과 같이 흔히 남성들의 무리 속에서 더욱 중시되는 것들을 기준으로 하면 키가 작고 힘이 약한 샤이론은 아래 계급으로 밀려나고 결국 놀림의 대상, 괴롭힘의 대상이 된다. '성적 지향'이라는 기준도 마찬가지다. 샤이론은 유년 시절부터 게이라고 불리면서 놀림감이 되었고 고등학교에서도 그러한 상황은 나아지지 않았다. 남자인 샤이론이 생리대 바꾸는 걸 잊었다며 놀림 받을 때 여학생들은 그러한 농담에 대해 불쾌해하거나 문제 제기를 하는 것이 아니라 오히려 피식거리며 그 비웃음에 동조한다. 이는 곧 게이가 가장 낮은 계급의 하나로 취급받고 있다는 것을 보여주는 게 아닐까.

이렇게 보면 인종이나 부의 측면에서 모두 소수자에 속하는 흑인이 흑인을, 빈곤층이 빈곤층을 괴롭힌 것이 아니다. 소수자가 소수자를 괴롭힌 것이 아니라, 메이저가 마이너를 괴롭힌 것으로 볼 수 있다. 폭력과 괴롭힘을 기획한 터렐도, 그것을 방관한 다른 학생들도 모두 인종이나 부가 아닌 다른 기준, 즉 힘이나 성적 지향의 측면에서는 메이저에 속했던 것이다.

우리에게도 그런 모습은 흔하다. 학연이면 학연, 지연이면 지연 등으로 기껏 동일한 범주를 만들어 놓고도 그 안에서 다시 직업, 성, 외모, 아파트 크기 등으로 서열을 매기고 계급을 갈라 메이저와 마이너를 구분하고 있지 않은가? A라는 기준으로 메이저인 사람이, B라는 기준으로는 마이너가 될 수 있는 것처럼 그러한 구분은 지극히 상대적이고 임의적인 것인데도 말이다. 샤이론 역시 그 허수아비 같은 기준 때문에 마이너 속의 또 다른 마이너가 되어 고통을 겪어야 했다.

샤이론 속의 후안, 후안을 닮아가는 샤이론

샤이론과 후안의 만남은 이 영화에서 매우 중요하다. 우연 같기도 하고 인연 같기도 한 두 사람의 첫 만남은 후안의 의지와 노력으로 성사되었다. 후안은 왜 첫 만남에서부터 일부러 수고를 감내하며 리틀에게 다가갔을까? 그리고 왜 그리도 리틀을 챙겨 주었을까?

일단, 이것을 흑인들 사이에서 자주 나타나는 일종의 흑인 공동체로서의 연대감 같은 것에 기인한 것으로 볼 수도 있다. 당사자 간의 개인적인 친분이 없더라도 고통스러운 경험을 가진 선조를 공유한다는 점, 그리고 단지 과거의 역사뿐 아니라 여전히 현실 곳곳에서도 차별 받는 경험을 공유한다는 점이 그러한 유대감을 끌어낼 수 있기 때문이다. 그러나 적어도 이 영화에서는 어떤 인종 문제를 전제로 한 유대감은 아닌 것 같다. 괴롭힘 당하는 리틀뿐 아니라 괴롭히는 아이들도 흑인이었다는 점을 생각한다면.

혹은 후안이 그저 시간 많은 '오지라퍼' 정도였기 때문에 리틀의 삶에 개입한 것일까? 후안은 직업, 돈, 차, 집, 애인 등을 가지고서 나름대로 안정적인 생활을 하고 있으니 가끔씩 주위를 둘러볼 여유를 누리고 있다고 볼 수도 있을 것이다. 그러나 이후 등장하는 장면들을 보면, 후안이 그저 어느

아이들에게나 마음씨 좋은, 오지랖 넓은 아저씨라서 이번에는 (우연히) 리틀에게 친절을 베풀었다기보다는, 리틀이라는 '바로 그 아이'에게서 후안 자신의 어린 시절의 모습을 발견했던 것이 아닌가 하는 추측을 해 볼 수 있다.

후안과 리틀에게서는 몇 가지 공통점이 보인다. 우선, 둘은 키가 작았다. 후안은 리틀에게 수영을 가르쳐 준 이후 대화를 나누면서 "나도 너처럼 옛날에 키가 작았다."고 말한다. 키가 작은 리틀은 유약했고 괴롭힘을 당했다. 마약 거리를 달려 지나갔던 여러 흑인 아이들이 있었지만, 그 중 유독 겁에 질린 채 쫓기고 숨어 있어야 했던 리틀에게 후안이 손을 내민 것은 어쩌면 키가 작아 비슷한 경험을 했던 자신의 과거가 떠올랐기 때문은 아닐까.

다음으로 두 사람은 엄마를 싫어했다. 리틀은 후안에게 엄마를 싫어한다고 말한다. 후안은 자신도 엄마가 싫었다고 말한다. '성인'이 아니라 '아이'

가 엄마를 싫어한다고 말할 때는 엄마가 무슨 도덕적 결함이나 나쁜 짓을 해서라기보다는, 아이가 아이로서 엄마에게 당연히 기대하는 것을 얻지 못할 때이다. 어쩌면 후안의 엄마 역시 어떤 이유로 어린 후안이 엄마를 필요로 할 때 그 필요를 채워주지 못했을 것이고 그래서 후안 역시 엄마를 싫어했을 것이다.

이처럼 자신과 닮은 리틀에게 후안은 동질감과 연민을 느꼈을 수 있다. 그리고 후안은 샤이론의 아빠가 아닌데도 왠지 아빠 같은 느낌을 주고 아빠 같은 역할을 한다. 용돈을 쥐어 주고 몸소 시범을 보이며 수영을 가르쳐 준다. 집에 드나드는 사람을 볼 수 있도록 현관문을 향해 앉도록 일러주며 언젠가 자기 삶을 스스로 결정해야 한다는, 때로는 깨알 같고 때로는 굵직한 메시지를 전해준다. 후안이 어린 샤이론에게 해준 조언은 훗날 일종의 예언처럼 샤이론의 삶에서 실현이 되어 간다. 그리고 샤이론은 어느덧 후안이 남긴 발자국을 따라 걷는다. 후안처럼 검은 두건 모자를 쓰고, 후안처럼 자동차에 왕관 장식을 달고 다니고, 후안처럼 기다란 금목걸이를 하고 다니고, 무엇보다도 후안처럼 마약상을 한다. 마치 아빠의 습관을, 아빠의 일을 물려받듯이. 샤이론은 그렇게 성장해 간다.

'그렇게 어른이 되어가는' 샤이론

후안은 리틀에게 때가 되면 스스로 뭐가 될지 결정해야 한다고, 그리고 다른 사람이 그 결정을 대신해 줄 수 없다고 가르쳐 주었다. 리틀이 그 말을 이해하기에는 어려웠지만, 후안이 말한 그 '때'가 정말 왔다. 터렐과 그 무리들에게 집단 폭행을 당한 후 그 폭력을 폭력으로 되갚아 주기로 한 결정은 샤이론의 학교생활을 끝내 버릴 수도 있는, 다시 말해서 그때까지의 일상을 완전히 뒤바꿀 만큼 중대한 것이었다. 그 순간 그 결정은 오롯이 샤이론의 몫이었다.

샤이론의 성장과 변화가 눈물겨운 것은 자신을 괴롭힌 학생을 응징하기로 결심하고 실행하는 그 순간 그는 완전히 혼자였다는 점이다. 리틀이라 불리던 유년 시절에 홀로 먼 길을 걸어 그의 집을 찾아갈 만큼 의지했던 후안은 이미 죽고 없었다. 유일한 피붙이인 엄마는 마약에 빠져서 샤이론을 돌봐 주기는커녕 오히려 그의 용돈마저 빼앗아갈 정도였다. 불과 얼마 전 자신과 속 깊은 대화를 나누며 미묘한 느낌을 주고받았던 케빈은 비록 스스로의 의도는 아니었을지라도 자신에게 주먹을 날린 사람이었으니 그 배신감과 충격 역시 이루 말할 수 없었을 것이다. 교사나 다른 학생들도 샤이론에게 힘이 되지 못하기는 마찬가지다. 터렐 무리에게 흠씬 두들겨 맞고 나서 샤이론 홀로 차가운 얼음물에 얼굴을 담갔다가 막 꺼낸 후 굳은 표정으로 거울 속의 자기 자신을 뚫어지게 바라본 것이 전부였다. 할 수만 있으면 자기 자신하고라도 이야기를 나누고 싶었을 것이다. "샤이론, 내가 이렇게 하는 게 맞는 걸까?"

샤이론은 자신의 결정을 실행에 옮김으로써, 자신이 더 이상 순한 사람이 아니라는 걸 증명한다. 폭력과 배신을 경험하고 난 후 충격에 의한 충동적 행동이라기보다는 이미 유년 시절부터 적어도 자신은 알고 있었던, 혹은 바라고 있었던 자신의 정체성, 즉 순한 사람이 아니라 단단하고 거친 사람임을 보여준 것이다. 또한, 고등학생 시절 샤이론이 케빈과 마리화나를 피우면서 언급했던, 자신이 하고 싶은 "말이 안 되는 많은 것" 중 하나이기도 했다. 말이 안 되는 이유는 아마 그 스스로도 자신이 해낼 거라고 생각하지 못했기 때문일 것이다.

'몸짓'에서 '꽃'으로, 그리고 자기 결정으로

후안을 만나기 전까지 어린 샤이론은 그저 크고 작은 수많은 흑인 아이들 중 하나일 뿐이었다. 위험과 범죄에 노출된 동네에 살며 흑인 아이들이 전부인 학교에 다니며 가난하고 불우한 가정에서 사는, 그다지 특별하지 않은 흑인 남자 아이의 모습이다. 김춘수의 〈꽃〉에 나오는 표현을 빌리면 그저 '하나의 몸짓'일 뿐이었다. 후안과 테레사는 그 '몸짓'이 '꽃'이 될 수 있도록 도와주었다. 후안은 샤이론이 혼자만의 은신처에 머물지 않도록 그를 이끌어냈다. 후안의 여자 친구 테레사는 문자 그대로 샤이론을 샤이론이라는 이름으로 부르겠다고 했다. 리틀이라는 별명 대신. 샤이론의 외모나 성격, 처한 환경이 어떻든 샤이론은 샤이론 외에 다른 존재일 수 없음을, 그리고 샤이론 자신이 가진 것을 받아들이고 인정해야 함을 후안과 테레사는 가르쳐 주었다.

10년 만에 케빈을 다시 만난 샤이론은 날 만진 사람은 네가 유일했다고 말한다. 10년 전의 그 터치touch는 샤이론에게는 단 하나의 특별함이었다. 샤이론 자신이 누구인지 깨닫게 한 터치였다. 그렇게 강렬한 터치였기 때문에 케빈이 샤이론에게 넌 누구냐고 물었을 때 샤이론은 일말의 망설임도 없이 "나는 나"라고 답할 수 있었다. 케빈은 근육질로 변해 버린 샤이론을 처음에는 알아보지 못했고, 마약상이라는 그의 직업, 금속이빨이나 자동차 등이 예전의 샤이론과는 어울리지 않는다고 생각해서 그렇게 질문을 했을 것이다. 그렇지만 샤이론은 자신의 겉모습과는 상관없이 본모습은 그대로임을 표현한다. "나는 나"라는 말로.

아무도 그 말에 이의를 제기할 수 없다. 샤이론은 샤이론이기 때문이다. 그보다 더 샤이론을 잘 설명할 수 있는 말은 없다. 샤이론은 흑인이고, 샤이론은 성 소수자고, 샤이론은 마약 거래상이라고 하는 것은 모두 샤이론이 가진 조건이자 액세서리이지 샤이론의 본질은 아니다. '꽃'으로서, 고유한 존재로서 샤이론은 자신의 삶을 스스로 결정한다. 스스로 결정할 수 있을 때에야 비로소 "나는 나"라는 것을 증명할 수 있다. 어린 시절 자신을 방치했던 엄마를 용서하는 것도, 마약상이라는 위험한 일을 자신의 직업으로서 유지하는 것도, 케빈에게 과거 그 터치의 의미를 알려주며 다시 찾아온 케빈과의 기회를 붙잡는 것도 모두 샤이론의 결정이다. 그것은 후안이 어린 샤이론에게 "네가 세상의 중심"이라고 했던 말, 그리고 고등학생 샤이론이 케빈에게 "말이 안 되는 많은 것을 하고 싶다"고 한 말이 마침내 실현되고 있음을 보여준다.

〈문라이트〉는 흑인이면서 게이라는 이중적인 사회적 소수자의 애환을 전시하거나 그들의 삶을 괴롭히지 말라고 계몽하는 데 초점을 두고 있지 않다. 그보다는 한 아이가 숱한 대가와 고통을 치르며 자신이 누구인지를 발견하고 자기 결정의 단계로 나아가는 과정을 보여 주는 데 집중한다. 그렇게 우리 삶의 보편적 모습을 담아낸다. 그래서 〈문라이트〉는 특수해 보이면서도 보편성을 띤다. 고유함 속에서도 보편을 발견할 수 있는 것, 케빈의 말처럼 "그게 인생"이니까.

설 규 주 _ qzoos@hanmail.net
서울대학교 사회교육과 학사, 석사, 박사 졸업. 현재 경인교육대학교 사회교육과 교수.
문화와 미디어에 관심을 가지고 연구하고 있음.

드니 빌뇌브 감독

블레이드 러너 2049

감독/ 드니 빌뇌브
출연/ 라이언 고슬링, 해리슨 포드,
아나 디 아르마스, 실비아 획스,
자레드 레토, 데이브 바티스타,
로빈 라이트, 맥켄지 데이비스
촬영/ 로저 디킨스
음악/ 벤자민 월피쉬, 한스 짐머
음향/ 론 바렛
편집/ 조 월커

블레이드 러너의 컴백
드니 빌뇌브가 아니라면 미션 임파서블이었을
세계 영화사의 기념비적 두 성취!
신과 존재에 관한 전작의 질문을 고통의 문제,
인간다운 삶에 관한 물음으로 확장한 압도적 SF.
'블레이드 러너'를 넘어서진 않았으나,
전작의 명예를 손상시키지 않는 선에서의 또 한편의 SF 걸작!
사이파이 영화의 새로운 교과서
존재의 기원에 대한 철학적 탐사의 깊이
사랑과 출산에 이르기까지. 인간과 안드로이드의 30년간의
여정을 보여주며, "우리만 존재한다"라고 믿는 인간의 오랜
고집과 아집을 꺾고자 하는 영화

— 추천위원의 선정이유 中

존재와 이름 그리고 정체성

― 드니 빌뇌브 감독 〈블레이드 러너 2049〉

강유정

1. 새로운 고전

〈블레이드 러너〉는 반드시 봐야 할 SF 영화 추천 목록에 매번 이름을 올리는 작품이다. '리플리컨트'라고 불리는 복제인간이 보편화된 미래를 시점으로 한 이 작품은 결국 인간이란 무엇인지에 대한 철학적 질문의 오랜 통념을 바꿔놨기 때문이다. 그래서, 〈블레이드 러너〉는 손대기 어려운 명품으로 남아 있곤 했다. 다시 리메이크한다고 했을 때 과연 전작 이상이 나올수 있을까 의구심이 먼저 들었던 이유이기도 하다.

결론부터 말하자면 〈블레이드 러너 2049〉는 전작의 영향 아래 있으면서도 전작을 넘어서는 작품이다. 과거 회상 장면에 등장하는 레이첼(숀 영 분)이나 데커드(해리슨 포드 분)는 전편에 대한 절대적 '의존'이라기보다는 '계승'을 위한 의미 있는 오마주이자 연결고리가 돼준다. 진화한 AI 조이의 모

습도 흥미롭고, 무엇보다 경찰 K를 연기한 라이언 고슬링의 건조하면서도 무료한 표정 속의 감정 변화는 놀랍고 감동적이다. 연출을 맡은 드니 빌뇌브 감독은 마치 소설 원작을 영화로 각색하듯 전작을 깊이 있게 재해석하고 섬세하게 재가공해냈다. 전작의 주제를 뒤집거나 바꾸는 게 아니라 이어받으면서 훨씬 더 심도있는 질문의 수준까지 끌고 가기 때문이다.

때는 2049년, 리플리컨트들의 자아 정체성 고민을 복제 사업 실패로 여긴 회사는 완전히 새로운 복제인간 사업에 도전한다. 이번엔 인간의 명령에 절대적으로 복종하는 복제인간을 개발한 것이다. 그들은 기계들처럼 일련번호로 불리지만 아무런 거부 반응조차 없다. 영화의 주인공인 복제인간 K가 지나가면 사람들은 껍데기 인간Skinner이라고 비아냥거린다. 하지만 그런 비아냥에 K는 반응하지 않는다. K에게는 자존감이 없다. 모멸하고 비난

한다고 해도, 자존감이 없는 K에게 분노가 생길 리 없다. 자존감이란 자아 정체성이 만들어진 이후에야 느껴질 수 있는 어떤 감각이기 때문이다.

완벽하게 '기계적'으로 직무를 수행하는 경찰 K는 어느 날과 다름없이 도망간 구세대 리플리컨트를 처리하는 과정에서 기묘한 상자를 하나 발견하게 된다. 자연적으로 탄생한 사람으로 치자면 그 상자는 유골함이었고, 그 유골함에 지금껏 이루기 어려웠던 '기적'의 흔적이 남아 있다. 자연 생식이 불가능한 어떤 여성 리플리컨트가 출산을 하던 중 숨졌고, 이는 곧 다른 '기적'의 탄생을 암시한다.

드니 빌뇌브 감독은 워낙 오이디푸스적 서사에 예민하고 유능한 감독이다. 그가 연출했던 〈그을린 사랑〉이나 〈컨택트〉는 오이디푸스적 발견으로 이뤄진 고전적 비장미와 비극미로 가득하다. 이번에는 한 걸음 더 나아가

예민한 관객들의 짐작마저 배반한다. 오이디푸스 서사의 진짜 의미, 그 의미에 대해 질문하는 것이다. 과연 생의 비밀을 간직한다는 것, 그러니까 존재의 근원에 대한 탐구와 질문이란 무엇일까? 어쩌면 그 질문이 바로 사물과 다를 바 없는 우리의 삶을 존재라는 무거운 단어에 걸맞도록 바꾸는 게 아닐까라는 생각이 들도록 말이다.

언제나 느끼는 놀라움이지만 훌륭한 SF는 과학과 기술에 대한 이야기에서 시작해 결국 사람다움에 대한 윤리와 도덕과 만난다. 그 고민의 끝에는 인간, 삶, 죽음에 대한 존중과 고민이 있다. 드뇌 빌뇌브의 〈블레이드 러너 2049〉가 그렇다. 그 철학이 응축된 것이 바로 이름이다. 자신의 이름에 대해 고민하는 것, 멸칭에 고통과 분노를 느끼는 것, 그것이야말로 자존감을 가진, 인간의 특성 중 하나기 때문이다.

2. 자존감과 이름

　영화로도 만들어진 얀 마텔의 소설 〈파이 이야기〉에는 이름에 대한 재미 있는 에피소드가 하나 나온다. 주인공 소년의 이름은 피신인데, 영어권인 인도에서 그 이름은 오줌싸개(피싱)와 거의 똑같이 발음된다. 프랑스에서 가장 맑은 수영장에서 따온 이름이지만 이 이름으로 살다가 피신은 평생 놀림거리가 될 듯싶다. 그래서 소년은 마음먹는다. '내 이름을 파이π로 바꾸자'라고 말이다. 1교시 수업이 시작되자, 소년은 "내 이름은 파이야"라고 소개한다. 하지만 아이들은 "잘했어, 오줌싸개"라며 비아냥거린다. 2교시가 시작될 때도 소년은 "내 이름은 파이야"라고 다시 소개한다. 다만, 무한대 숫자인 파이를 한 열 자리 정도 외워서 소개한다. 그리고 마침내, 그날의 마지막 수업 시간에는 칠판 가득 파이의 무한대 숫자를 외워 쓰고는, 자신의

이름을 파이라고 소개한다. 그날 이후 아무도 소년을 피싱이라 부르지 않는
다. 그렇게 오줌싸개는 무한대로 이름을 바꾸는 데 성공한다.

　이름을 바꾼다는 건 무엇일까? 세상에 자신의 이름을 스스로 정하는 사
람은 없다. 개명이나 예명, 필명을 말하는 게 아니라 태어나서 세상에 처음
새겨지는 이름을 말하는 것이다. 그러니까 이름은 곧 운명이다. 누구라도
자신이 원해서, 자기 이름을 선택할 수 없다. 그건 부모도, 국적도, 성별도
마찬가지이다. 태어나자마자 자의와 무관하게 갖게 되는 것, 그게 바로 이
름이다. 그러니 이름을 바꾼다는 것은 운명을 바꾸는 것이다. 그리고 이름,
운명을 바꾸려면 적어도 파이의 무한대 숫자 정도는 외워 보는 노력을 해야
한다. 그 정도는 해야, 운명과 맞섰다고 말할 수 있는 것이다. 35년 만에 다
시 만들어진 SF 영화 〈블레이드 러너, 2049〉를 이름과 운명의 이야기로 보

는 이유이기도 하다.

　그런데, 이쯤에서 한 번 반대로 생각해 보고 싶다. 우리는 왜 제대로 이름이 불리지 않으면 자존심이 상할까? 즉 누군가 나를 낮잡아 부르거나 아예 나라는 존재를 인지조차 하지 못하면 왜 기분이 상하고, 마음이 아픈 걸까?

　가만 보면, 자존감과 인격의 가장 기본적인 요소는 바로 이름이다. 우리에게 이름을 붙여 준 부모들은 벌거벗고 태어난 우리를 아무런 대가 없이 사랑해준 거의 유일한 사람들이다. 부모로부터 받은 사랑만큼은 바라지도 않지만 결국 우리는 이름의 값을 정당히 대접받기 위해 세상에서 투쟁을 벌이며 살아간다. 아무것도 아닌 사람이 되지 않기 위해 세상의 요구에 순응하면서 말이다. 사랑이라면 그것도 사랑일 것이다. 내 이름에 걸맞은 대접을 받는 것 말이다. 반대로, 이름이 없어서 즉 무명의 존재라서 세상으로부

터 괄시받는 느낌 역시 무척이나 아프다. 그 아픔은 결국 차별을 스스로 인정하는 것이기에 더 따갑고 아플 것이다.

3. 사랑, 가장 인간적인 것.

과연 K는 마지막 순간 하늘을 쳐다보면서, 어떤 생각을 했을까? 〈블레이드 러너, 2049〉의 주인공 K는 창조주의 그림자에 기대는 게 아니라 자신도 모른 채 스스로 너무나 인간적인 선택을 한다. 누군가의 '사랑'으로 태어났다는 사실이 K의 자아 정체감을 느끼게 했다면, 사랑받는다는 그 불확실한 착각도 무명의 존재를 새로 태어나게 할 수 있다. 사랑받는 것보다 더 중요한 것은 사랑받을 수 있다는 가능성이다. 그 가능성만으로 복제인간의 마음이 움직이고 자존감이 만들어진다.

스스로를 추방한 오이디푸스처럼 K는 스스로 이방인이 된다. 이방인이기에 그에게는 어떤 의미에서의 완전한 자유가 주어진다. 사랑을 갈구하는 순간 K는 유전자 배열만이 인간이 아닌 진짜 인간이 된다. 결국, 사랑이 인간다움의 열쇠라는 것일까? 이름을 갖는다는 것은 세상으로부터 사랑을 받는다는 허약하지만 분명한 증표가 아닐까? 마음이라는 수수께끼, 인간의 존엄과 마음의 실체를 돌이켜 보게 하는 영화, 〈블레이드 러너, 2049〉이다.

* 본고는 〈강유정의 영화로 세상읽기(경향신문)〉에 게재된 글을 수정 확대했습니다.

강유정 _ noxkang@hanmail.net
고려대 국어국문학과 대학원 졸업. 2005년 《조선일보》 《경향신문》 신춘문예 문학평론 당선, 《동아일보》 영화평론 입선. 저서로 『오이디푸스의 숲』이 있음. 강남대 교수. 《세계의문학》 편집위원.

마틴 스콜세지 감독

사일런스

감독/ 마틴 스콜세지
출연/ 앤드류 가필드, 리암 니슨,
아담 드라이버, 아사노 타다노부,
시아란 힌즈, 이세이 오가타,
고마츠 나나, 츠카모토 신야
촬영/ 로드리고 프리에토
음악/ 카트린 클루게, 킴 알렌 클루거
음향/ 필립 스탁톤
편집/ 셀마 슈메이커

스콜세지의 평작
기독교를 다시 생각해 본다

— 추천위원의 선정이유 中

비서구와 서구, 성과 속을 가로지르는 반영웅의 초상

— **마틴 스콜세지** 감독, 〈**사일런스**〉

진수미

세속주의의 승리를 거의 모든 사람들이 의심하지 않는 오늘날, 종교적 구원과 순교는 어떤 의미가 있는가. 영화 〈사일런스〉는 이러한 의문을 피해갈 수 없는 것처럼 보인다. 몇 세기 전 인류가 병에 담아 바다에 띄웠던 서신을 이즈음 받아 읽는 것처럼, 17세기 일본 땅에 선교하러 갔다가 박해받는 신부를 그린 이 영화는 시대의 조류와 동떨어진 것처럼 느껴진다. 이 같은 의문을 해소하기 위한 방법은 무엇일까. 두 가지를 제안할 수 있겠는데, 하나는 영화의 내면으로 들어가는 것. 다른 하나는 스콜세지의 필모그래프 안에서 영화의 위치를 가늠하는 것이다. 두 가지는 완전히 다른 길로 보이지 않는다. 그만큼 〈사일런스〉에는 스콜세지의 인장이 강하게 찍혀 있다.

스콜세지의 첫 번째 장편 〈내 문을 두드리는 자는 누구인가〉(1969)의 마

지막 씬은 성당에 있는 J.R.(하비 카이텔 분)에 이어, 거리에 선 그를 비춘다. 그에게 국제적 명성은 안겨준 〈비열한 거리〉(1973)는 "네가 회개하는 곳은 교회가 아니야. 거리에서 하는 거지."라는 내레이션으로 시작한다. 그가 작가적 정체성을 구축해나갔던 초기 작품에는 성당과 거리의 병치를 통한 성속聖俗의 공존이 주요 모티브로 작동한다.

세속 어딘가에 구원이 존재한다

스콜세지는 리틀 이태리에 살았던 예닐곱 살 무렵 신부가 되겠다고 결심했다. 동네 마피아들이 신부에게 꼼짝 못하는 것을 보았던 것이 계기였다고 하는데 농담 같은 이 말은 초기작을 특징짓는 요소가 된다. 부연하면, 그의 종교 지향은 세속적 힘에의 동경과 무관한 것이 아니다. 그가 추구하는 것

은 세속 어딘가에 존재하는 신성이지 교회에 유폐된 그것이 아니다. 나아가
그의 캐릭터들은 세속적 행위 안에서 구원의 길을 모색한다.

잘 알려진 것처럼 〈사일런스〉는 일본의 가톨릭 작가 엔도 슈사쿠의 『침
묵』을 원텍스트로 했다. 에도시대에 서양 문물을 받아들이기 시작했지만,
가톨릭이 널리 퍼지자 막부는 개방정책을 철회한다. 이어서 강력한 종교 탄
압이 시작되는데, 포르투갈 예수회가 파견하여 33년간 선교활동을 했던 페
레이라 신부(리암 니슨 분)가 탄압에 못 이겨 배교했다는 사실이 전해진다.
이것이 사실인지 확인하기 위해 그의 제자였던 신부 로드리게스(앤드류 가
필드 분)와 가루페(아담 드라이버 분)가 일본에 잠입한다.

이들은 산속 오두막에 은신하며 선교활동을 하지만 오래지 않아 이노우
에(이세이 오가타 분)의 관졸에게 체포된다. 로드리게스는 순교를 원하지만

상황은 그의 뜻과 무관하게 전개된다. 20여 년간 탄압한 결과, 신부의 순교가 '기리스탄christian'의 신앙심을 강화하는 역효과를 경험한 이노우에는 신부의 배교를 유도하는 쪽으로 정책을 바꾼 것이다. 로드리게스는 배교를 강요당한다. 그가 배교하지 않으면 신도들이 대신 죽임을 당한다. 배교가 구원이 되고 순교가 치욕이 되는 상황이 펼쳐지는 것이다.

17세기가 배경이 된 탈식민적 사유

일본 '기리스탄'을 위해 목숨을 바치고자 가톨릭 사제들이 일본에 왔지만 그들 때문에 일본인이 피를 흘리는 상황. 이 기묘한 역설이 〈사일런스〉를 관통한다. 카메라는 로드리게스 내면에 담긴 예수의 초상을 비춘다. 그것은 엘 그레코가 그린, 가녀리고 우아한 슬픔을 지닌 얼굴이다. 로드리게

스는 예수를 따라 그처럼 성스러운 죽음을 맞이하고 싶다. 서구는 순교자를 영웅시하는 세계이다. 그는 종교적 영웅으로 부활하고 싶다. 하지만 가톨릭의 힘이 미치지 않는 극동의 변방 일본에서 그것이 가능하겠는가? 그는 고귀한 것을 위한 죽음은 가능하지만 더럽고 비천한 것을 위한 죽음은 어렵다고 생각한다. 그에게 일본인을 위한 죽음도 그랬는지 모른다. 그가 일본에 온 이유는 페레이라의 배교 소식이 잘못된 것이라는, 즉 '우리' 가톨릭 세계가 패배하지 않았다는 증거를 찾기 위해서였다.

스콜세지는 엔도 슈사쿠의 비서구 정체성에서 나온 탈식민적 사유를 영화에 최대한 반영한다. 이노우에와 로드리게스의 대화는 17세기 상황이 빚어내는 탈서구적 가치관이 빛을 발하는 대목이다. 이노우에는 일본을 남성으로, 서구 세력을 일본에 일방적으로 구애하는 추녀들의 탐욕으로 비유한다. 서구 세력을 여성으로 타자화함으로써 아직은 훼손되지 않은 동양의 자존감을 드러내는 장면이다.

나아가, 이노우에는 일본을 서양 종교가 자랄 수 없는 늪지로 특수화한다. 로드리게스는 가톨릭과 진리의 보편성을 내세우면서 이를 부인한다. 보편성은 20세기 내내 제3세계에 대한 서구의 우위를 절대화하는 가치였다. 늪지로 일본을 표상화하는 이노우에의 특수성은 대지라는 보편성의 일부로 존재한다. 일본 위정자의 탄압을 독(毒)으로 규정하는 로드리게스와는 다른 것이다. 이노우에의 보편성은 특수성을 배제하지 않는다. 이러한 탈(脫) 서구/현대/식민적 사유는 〈사일런스〉가 시대에 뒤떨어진 종교 서사라는 인상을 넘어서게 한다.

가톨릭 사제 중에는 일본 문화를 경멸하는 신부도 있었다. 그에게서 서구어를 배운 일본인 통역관은 일본에 대한 서구인의 멸시를 '미러링' 하듯 로드리게스를 조롱한다. 그는 페레이라가 '사와노 추안'이라고 개명했으며 일본인 처자식과 살고 있고, 높은 지위에도 올랐다는 이야기를 전해주면서, 그가 이를 위해 일본에 온 것 같다고 말한다. 그의 배교가 마치 세속적 힘에 대한 동경에서 비롯된 것처럼. 로드리게스는 더 큰 혼란에 사로잡힌다.

그는 포승줄에 묶여 호송되는데 나가사키 거리와 일본인의 모습이 카메라에 잡힌다. 말에 올라탄 로드리게스의 시점 쇼트를 따라가다 보면 이들은 하이앵글로 포착된다. 이러한 각도는 서구인의 우월감을 감각적으로 형상화한다. 카메라에 비친 일본은 19세기 서양 우편엽서에 담긴 동양처럼 타자화 되어 있다. 이 오리엔탈리즘적 시선을 단죄하듯 일본인들은 그에게 돌을 던진다. 이러한 방식으로 〈사일런스〉는 현대성과 탈현대성이 부딪히는 담론으로 영화적 사유를 중층화한다.

신의 침묵을 어떻게 해석할 것인가

가루페가 일본인과 함께 죽음을 맞이하는 장면을 목격한 후, 로드리게스는 저항할 힘을 잃어버린다. 왜 신은 인간의 비참함을 보면서도 침묵하는 것일까? 신이 내리는 시련이 선한 것이라면, 일본인이 겪는 고통은 어떻게 설명할 수 있을까? 그는 원망 섞인 회의에 빠진다. 이때 이노우에는 페레이라와 로드리게스를 대면시킨다.

일본 사찰에서 평화를 찾은 듯한 페레이라는 신의 침묵을 부재로 해석한 것처럼 보인다. 그에 따르면, 일본에는 가톨릭 신이 존재하지 않으며, 일본인은 자연적 존재이다. 이들은 서양 종교를 이해할 수 있는 형이상학적 능력이 없다. 그는 여전히 로드리게스의 스승을 자처하면서, 일본 땅에 도움이 되는 존재로 각자의 본성을 탐구해보자고 권한다. 그것이 신을 찾는 것 아니겠느냐고 반문하면서. 로드리게스는 그를 비난하면서 고집을 꺾지 않는다.

　로드리게스는 신의 음성을 듣지 못하는 인간의 무능력을 탓한다("들을 귀가 있는 자는 들어라."). 그에게 남은 것은 신심을 다한 기도지만, 그것은 페레이라 말대로 소용이 없다. 아무리 기도를 해도 이미 배교를 한 신도까지 고문당하는 현실을 바꿀 수 없는 것이다. 그는 결국 배교를 결심하게 된다. 그의 발 앞에 예수 얼굴이 새겨진 널판이 놓인다. 그것을 밟으면 배교가 증명된다. 그가 머뭇거리며 망설일 때, 다음과 같은 목소리가 들려온다. "어서 하여라. 괜찮다. 밟아도 좋다. 네 고통을 아노라. 나는 너희에게 밟히기 위해 세상에 태어났고, 너희의 고통을 나누기 위해 십자가를 짊어진 것이다." 신의 침묵이 드디어 깨진 것이다. 하지만 그가 성화를 밟는 순간 심중에 빛나던 예수의 얼굴도 암흑에 묻힌다.

스콜세지의 또 다른 영화 〈그리스도 최후의 유혹〉(1988)에서 구원인 것 같았던 신의 음성이 악마의 유혹이었다는 전개를 떠올린다면 로드리게스의 배교가 지닌 의미 또한 재해석될 여지가 있는 것 같다. 그러나 〈사일런스〉의 서사는 그의 삶 마지막까지 신이 함께했다는 암시를 던지며 마무리된다. 로드리게스는 일본인 순교자 모키치(츠카모토 신야 분)가 준 십자가를 간직한 채 죽음을 맞이하는 것이다. 이러한 결말은 엔도 슈사쿠가 교단을 매개로 하지 않는 프로테스탄티즘에 가깝게 로드리게스의 신앙을 묘사한 것과 대조된다. 묵주처럼 시각화 가능한 성물은 가톨릭의 상징이다. 이로써 스콜세지는 자신의 종교적 체험을 양보하지 않고 영화에 새겨 넣었다.

종교적 반영웅으로서 현대인의 초상

우리는 십자가 위에서 "엘리 엘리 라마사박다니(나의 하느님 나의 하느님 어찌하여 나를 버리셨습니까)"를 외쳤던 예수의 한 순간을 기억한다. 그래서 로드리게스에게 그것이 구약의 한 구절을 음송한 기도가 아니라 신의 침묵에 대한 공포로 다가왔을 때의 전율에 공감한다. 〈사일런스〉에서 우리가 공감할 수 있는 인물이 또 하나 있다. 그는 배교의 아이콘 유다로 표상되는 기치지로(쿠보즈카 요스케 분)이다. 그는 로드리게스와 가루페를 일본으로 인도했고 은신 중인 신도와 만나게 했다. 또 로드리게스가 체포되는 데 결정적 역할을 했다. 그는 구원 의지를 갖고 있지만 유혹에 무력한 인물이다. 죽음이 두려워서 끊임없이 신을 부정하고, 그리고 나서 용서를 거듭 간청한다. 그는 세속적 힘에 구속되어 있지만 해방을 원하는 우리와 닮았다.

스콜세지는 로드리게스의 배교 이후의 삶에 기치지로를 동행시킴으로써 세속 안에서의 구원이라는 자신의 주제를 관철한다. 로드리게스의 구원은 기치지로를 이해하고 그와 동화됨으로써, 나아가 그의 변함없는 믿음에 의해 승인되는 것 같다. 이들은 종교 탄압 이벤트인 성화 밟기 행사에 나란히 참여해 예수의 얼굴을 밟는다. 신성과 가장 거리가 있어 보이는 기치지로는 가슴에 성화를 품고 있다가 발각되어 어디론가 끌려간다(로드리게스는 일본인 아내의 도움으로 십자가를 쥐고 죽을 수 있었다. 역시 비서구인은, 서구인의 도우미로 신앙의 주체가 되는 것일까). 로드리게스는 가장 낮은 곳에서 기치지로를 발견할 수 있었다. 이들은 페레이라-로드리게스와 다른 방식으로 관계 맺는다. 기치지로는 로드리게스를 여전히 신의 대리자로 여긴다. 그를 고해 신부로 대접하며, 그 앞에 무릎을 꿇는다(스콜세지는 어쩔 수 없는 서구인이다). 반면, 페레이라와 로드리게스는 연민과 경멸이 교차하는 눈빛으로 서로를 바라본다.

일본에 도착했을 때 기치지로가 자신을 관졸에게 밀고하려는 게 아닐까 의심에 빠진 로드리게스는 예수가 유다에게 한 말, "네가 하러 온 일을 하여라."를 중얼거렸다. 결국 기치지로는 그 말을 실천했다. 로드리게스도 그랬다. 스콜세지도 서구인의 정체성으로, 또 영화로써 하고자 하는 바를 실천했다. 우리는 어떠한가. 이것이 〈사일런스〉가 지닌 중층적 의미, 그 복합적 층위가 비서구의 역사 속에서 현재를 사는 우리에게 충격하는 바일 것이다.

진수미 _ shistory@hanmail.net
글쟁이. 더불어 잘살기 연구소 소장. 시집 『달의 코르크마개가 열릴 때까지』, 『밤의 분명한 사실들』, 미술평론서 『연대의 시학, 열정과 연 사이』 등을 출간했다. 현재 이화여자대학교에 출강하고 있다.

패티 젠킨스 감독

원 더 우 먼
ONDER WOMAN

감독/ 패티 젠킨스
출연/ 갤 가돗, 크리스 파인,
데이빗 듈리스, 대니 휴스턴,
엘레나 아나야, 코니 닐슨,
로빈 라이트, 루시 데이비스
각본/ 앨런 하인버그,
잭 스나이더, 제이슨 푸치스,
윌리엄 M. 마스턴
촬영/ 매튜 젠슨
음악/ 루퍼트 그렉슨—윌리엄스
편집/ 마틴 월쉬

원 더 우 먼

전쟁을 고뇌하는 여성영웅의 서사가 의미심장하게 펼쳐진다.
원더우먼이라는 슈퍼히어로가 태생적으로 지닌 반전과
페미니즘의 문제의식을 제대로 살렸다
전사의 완벽한 부활

— 추천위원의 선정이유 中

전쟁 세력에 맞서는 여성영웅을 그리다

— **패티 젠킨스** 감독 〈**원더우먼**〉

황진미

　'원더우먼'은 전 세계에서 가장 유명한 여성 영웅 캐릭터이다. 하지만 어디서 온 누구인지 정확히 아는 사람은 드물다. 오죽하면 "하늘에서 나타났나 원더우먼, 땅에서 솟아났나 원더우먼~" 이라는 노래가 있을까? 1970년대 TV 시리즈에서 린다 카터 주연의 〈원더우먼〉을 먼저 접한 관객이라면, 섹시하고 요란한 의상을 먼저 떠올릴 것이다. 그가 신화적 기원을 지닌 캐릭터임을 알지 못한 채. 본래 원더우먼은 제2차 세계대전 중 코믹 북의 주인공으로 탄생한 캐릭터이지만, 태생부터 20세기 페미니즘 운동과 깊은 연관을 지닌다. 캐릭터가 등장한 지 70여 년이 지나 출시된 영화 〈원더우먼〉은 원작의 배경이 되었던 제2차 세계대전을 20세기 페미니즘의 태동기와 겹치는 제1차 세계대전으로 옮겨놓는다. 그리고 원작의 캐릭터가 품고 있던 신화적 기원을 웅장하게 되살림으로써 원작의 의미를 심도 있게 드러낸다.

1. 아마존의 여전사

영화는 신화적 공간인 데미스키라 섬의 여성들로만 이루어진 공동체를 비추며 시작된다. 이들은 스스로를 전쟁의 신 아레스에 맞서기 위해 제우스가 숨겨놓은 종족이라 믿으며, 군사훈련에 몰입한다. 그리스 신화에 바탕을 둔 건국신화를 지닌 폐쇄적인 부족공동체에서 어린 다이애나가 혹독한 훈련을 받으며 자라난다. 공주이자 전사인 다이애나는 특별한 힘을 지니는데, 그가 자신의 힘을 알게 되었을 때, 세계의 결계가 열리듯 인간세계와의 접촉이 일어난다.

갑자기 하늘에서 비행기가 추락하자, 다이애나는 마치 인어공주처럼 바다에 떨어진 조종사를 구한다. 최초로 만난 인간 남자를 감상할 짬도 없이, 그를 쫓아 온 인간들에 의해 부족은 전투에 휩싸인다. 살육의 참혹함을 본

다이애나는 전쟁의 신에 맞서는 소명을 위해, 최초로 접한 남자 트레버를 따라 전쟁이 한창인 유럽으로 온다.

'데미스키라 섬의 여전사' 이미지는 호메로스의 〈일리아드〉에 기원을 둔다. 19세기에 고대 그리스의 여성 시인 사포의 시가 많이 읽히면서, 아마존의 여전사 전설이 널리 알려졌다. 19세기 후반에는 고대 모계사회에 대한 연구가 이루어지면서, 아마존의 여전사 종족이 실제로 존재했다고 믿는 이들이 생겨났다. 정치적으로는 여성참정권 운동이 점화되어 20세기 초를 뜨겁게 달구었는데, 당시 급진적인 서프러제트들 중에는 여가장제와 모계사회를 자연스러운 것으로 인식하는 사람들이 있었다. 1910년대에는 대학에 진학하는 신여성들이 늘어났는데, 이들을 '아마존'이라 불렀다. 이는 '아마존의 여전사'라는 이미지가 20세기 초 새롭게 부상한 페미니즘 운동의 아이

콘으로 쓰였음을 말해준다.

이처럼 신화적인 연원을 지닌 존재인 '아마존의 여전사'가 난데없이 인간 세계로 건너와 독일군과 맞서 싸운다는 설정이 1941년 DC 코믹스를 통해 발표된 원작의 독창성이다. 원더우먼 캐릭터를 만든 만화의 원작자, 윌리엄 몰튼 마스턴은 1911년 서프러제트 운동을 지지하는 하버드 남성 연맹에 가입한 남성 페미니스트였다. 그는 남성들이 망친 세계를 구하기 위해 남성보다 발달된 감정과 뛰어난 사랑의 능력을 지닌 여성들이 세계를 지배해야 한다고 믿었다. 거짓말 탐지기의 발명가이기도 한 마스턴은 일부일처제를 거부하고 두 명의 전위 페미니스트 여성과 가정을 꾸렸다. 원더우먼이라는 독특한 캐릭터는 마스턴과 두 명의 여성 배우자로 구성된 페미니스트 공동체가 만든 발명품이었다. 마스턴은 강인하고 자유롭고 용감한 여성 슈퍼 히어로가 세계 평화를 위해 나치와 싸운다는 이야기를 통해 새로운 여성상을 제시하고 소녀들이 자신감이 고취되길 원했다. 슈퍼맨, 배트맨에 이어 세 번째로 탄생한 슈퍼 히어로인 원더우먼은 출시와 동시에 폭발적인 인기를 끌었다.

원더우먼이 착용한 성조기 무늬의 노출 패션은 애국주의와 볼거리를 제공하려는 대중적 타협이었다. 원더우먼은 팔찌로 총알을 막으며 싸운다. 이는 잔인한 공격보다 방어를 위주로 하는 평화주의의 사상에 걸맞다. 또한 진실의 밧줄을 통해 자백을 얻어내는 것은 마스턴이 발명한 거짓말 탐지기를 연상시킨다. 원더우먼이 악당에게 잡혀 밧줄에 결박된 뒤 스스로 탈출하는 장면이 자주 등장하는데, 이는 서프러제트들이 쇠사슬로 자기 몸을 묶고 시위를 벌였던 것의 재현이다. 즉 억압당하는 여성이 스스로 족쇄를 풀고 해방되어야 한다는 의미를 담는다. 하지만 원더우먼의 패션이나 잦은 결박

장면은 SM 본디지 성애자이자 복장도착 페티시즘을 갖고 있던 '배운 변태' 마스턴의 취향이 반영된 결과로 읽히기도 한다.

1975년에 만들어진 린다 카터 주연의 TV시리즈는 큰 인기를 끌었다. 1977년부터는 한국에서도 방영되어 강한 인상을 남겼는데, 국내 관객들의 뇌리에 남은 원더우먼의 이미지는 대부분 이에 빚지고 있다. 평소에는 군병원의 간호사인 다이애나가 몇 바퀴를 회전하면 원더우먼으로 변신한다. 강한 힘으로 악당들을 제압하는 원더우먼은 정의를 수호하는 슈퍼 히어로의 이미지를 갖지만, 민망한 노출패션과 채찍, 올가미 등의 소품이 암시하는 성적인 이미지가 충돌을 빚기도 했다. 그 결과 '힘센 미녀 원더우먼'은 여성주의적 관점에서 이중적 의미를 지닌 캐릭터로 받아들여졌다.

2. 제1차 세계대전이라는 배경

원작이 탄생한 지 76년만에 극장판 실사영화 〈원더우먼〉이 제작되었다. 연출을 맡은 패티 젠킨스는 여성 감독답게 마스턴이 애초에 품었던 여성주의적 의도를 충실히 반영해냈다. 영화의 배경을 원작과 같은 제2차 세계대전이 아니라 제1차 세계대전으로 옮긴 것도 서프러제트 운동에서 출발한 20세기 페미니즘의 문제의식을 원형적으로 복원시키는 데 일조하였다. 또한 데미스키라의 용맹한 여전사들의 모습이나 신화적 세계관도 현실세계에서 감히 꿈꾸지 못한 시원의 발상을 불러일으킨다. 가령 데미스키라에서 전사로 길러진 다이애나가 20세기초 유럽에 와서 느끼는 문화적 충격을 보라. 치렁치렁한 드레스를 입고 다니며, 공적인 자리에 나가 발언할 권리도 얻지 못했던 20세기초 유럽 여성들의 삶과 데미스키라에서 활달하게 말을 달리던 여성들의 삶은 강한 소격효과를 불러일으킨다. 하지만 한편으로 20

세기초는 인류문명사에서 최초로 남성중심의 도그마에 균열이 생긴 시기이기도 했다. 다이애나가 백화점에서 200벌의 옷을 입어본 끝에 찾아낸 밀리터리 의상과 비서직을 맡은 여성이 언급하는 서프러제트 운동이 이러한 균열의 징표이다.

또한 제1차 세계대전은 평화를 위해 전쟁의 신과 싸운다는 원더우먼의 문제의식을 숙성시키기에 최적의 배경이기도 하다. 만약 원작대로 2차 세계대전을 배경으로 삼았더라면, 흔하고 식상한 전쟁영화로 보였을 가능성이 높다. 파시즘에 맞서 미국의 자유민주주의를 지킨다는 제2차 세계대전의 의미가 지금은 어떤 가치를 지니는 지 모호하게 느껴지기 때문이다. 하지만 별로 재현된 적이 없었던 제1차 세계대전을 배경으로 삼음으로써 전쟁 자체에 대해 근본적으로 성찰하는 텍스트로 만드는 것이 가능해졌다. 알다시

피 제1차 세계대전은 제국주의 열강의 경쟁과 동맹에 의해, 명분도 없는 전쟁에 전 유럽이 빨려 들어간 사건이었다. 또한 총력전 체제와 전후방이 따로 없는 모호한 전선, 그리고 현대적 무기의 사용으로 전투인력보다 민간인이 더 많이 살상된 최초의 현대전이었다.

전쟁의 신 아레스를 죽이고 세계 평화를 가져오겠다는 순수한 신념을 지닌 다이애나는 제1차 세계대전의 한복판에 뛰어들어 환멸을 느낀다. 무고한 어린 생명들을 살리기 위해 전장을 뛰어다니던 다이애나는 생화학무기를 사용하는 독일 장군과 맞선다. 다이애나는 그를 죽이면 전쟁이 끝나리라 믿었다. 하지만 그를 죽여도 전쟁은 끝나지 않는다. 아레스는 오히려 영국의 원로 정치인의 모습으로 나타나, 인류의 호전성으로 인해 전쟁은 끝날 수 없다고 설파한다. 이 대목이 무척 중요하다. 전쟁을 일으키는 원인이 적

군에게 있는 것이 아니라, 나를 포함한 인간사회에 내재된 모순에 있다는 인식이다. 즉 독일군과 싸우는 미군, 파시즘과 싸우는 미군, 소련과 싸우는 미군, 외계인과 싸우는 미군, 이슬람 테러리스트와 싸우는 미군으로 옮겨가며 자신은 절대적으로 선하고, 상대는 전쟁을 일으키는 악마라고 대상화하는 것이 아니라, 피아를 불문하고 전쟁을 일으키는 세력이 무엇이고 전쟁을 막으려는 세력은 무엇인지 근원적으로 성찰해보는 것이다.

3. 인간에 대한 믿음

다이애나는 전쟁을 일으키는 것은 인간이며, 인간은 보호할 가치가 없는 존재임을 깨닫는다. 또한 자신이 데미스키라의 여전사가 아니라, 사실은 신의 자식임을 알게 된다. 자아 찾기에 성공한 그가 이제 인간을 위해 싸워야 할 이유는 없다. 하지만 그는 인류를 지키는 슈퍼 히어로의 길을 가겠노라 결심한다. 이는 전쟁을 막기 위해 자기 목숨을 버리는 인간을 통해, 인간이 선한 존재일 수 있음을 믿게 되었기 때문이다.

다이애나에게 이런 믿음을 심어준 트레버는 완벽한 존재가 아니다. 트레버 일행은 트레버가 균열된 존재임을 보여준다. 살인자이자 사기꾼이자 밀수꾼인 이들의 정체성은 트레버의 것이기도 하다. 트레버는 스파이라는 이중의 정체성과 아메리카 원주민을 몰아낸 백인이라는 원죄를 지닌다. 그는 자신도 전쟁을 일으킨 세력의 일원임을 부인하지 않는다. 그의 죽음은 흠 없는 존재의 희생이 아니라, 연루된 존재의 책임완수이기에 인간적인 숭고함을 지닌다. 신의 관점에서 인간의 본질을 고민하던 다이애나의 마음이 움직인 것은 이 때문이다.

이처럼 심오한 각성을 품은 슈퍼 히어로 역할을 맡은 배우가 하필 갤 가

돗이란 사실은 굉장한 아이러니를 지닌다. 이스라엘 배우인 갤 가돗은 2014년 이스라엘이 가자지구를 폭격했을 때, 적극적인 지지 의사를 밝혔다. 당시 이스라엘 군의 백린탄 사용으로, 사망자가 무려 2000여 명에 달했으며, 그 중 538명이 어린이였다. 참혹한 만행이었지만, 이스라엘 시민들은 마치 불꽃놀이를 즐기듯 폭격을 관람하였다. 당시 맥주를 마시며 폭격을 관람하는 이스라엘 시민들의 사진이 공개되면서, 인류적인 공분이 끓어올랐다. 〈원더우먼〉의 장면들 중에는 마을 건물에 독가스 포탄을 쏘아서 민간인들을 몰살하는 모습과 이를 관람하기 위한 의자가 설치된 모습이 등장한다. 끔찍한 전쟁의 참화 속에서 아이들을 살리기 위해 고군분투하는 원더우먼을 연기하면서 갤 가돗은 무엇을 느꼈을까. 맨(인간/남성)이 일으킨 전쟁으로부터 인류를 구하기 위해, 양측 참호 사이의 공간인 '노 맨스 랜드'를 홀로 당당하게 걸어가던 원더우먼의 숭고한 발걸음을 왜 하필 극렬 시오니스트이자 아레스의 추종자인 배우의 몸을 통해 보아야 했는지 여전히 의문이다.

황 진 미 _ chingmee@hanmail.net
이화여대 의대 졸업. 연세대 보건학 박사 수료. 진단검사의학 전문의.
2002년부터 《씨네21》을 비롯한 각종 매체에서 영화평론가로 활동.

테일러 쉐리던 감독

윈드 리버

감독/ 테일러 쉐리던
출연/ 제레미 레너,
엘리자베스 올슨, 켈시 초우,
그레이엄 그린,
제임스 조던, 존 번탈,
길 버밍햄, 테오 브리오네스
촬영/ 벤 리처드슨
음악/ 워렌 엘리스, 닉 케이브
특수효과/ 도티 스탈링
편집/ 게리 로치

공간으로 시대의 모순을 응축한 서사시
범죄 스릴러로 이런 감흥을 안겨주다니!
지적, 정서적, 감각적 등 모든 층위에서 최상의 경지를 뽐내다.
설산雪山으로 옮겨간 로스트 인 더스트.
비극으로 가득한 세계의 무게를 가슴 먹먹하도록 채워 넣은,
올해 가장 압도적인 스릴러.
상실과 애도를 다룸에 있어 감독이 견지한
윤리적 시선이 좋았다

— 추천위원의 선정이유 中

설원을 메운 침묵과 비애의 무게

— 테일러 쉐리던 감독 〈윈드 리버〉

이태훈

오래 기억되는 영화에는 약속이나 한 듯 몇 가지 특징이 있다. 우선 이야기 스스로 뿜어내는 강력한 에너지. 또 이리저리 곱씹고 해석할수록 깊은 맛을 내는 겹겹의 의미 층위이다. 엔딩 크레디트가 올라가고 극장 밖으로 나설 때에야 마음 깊은 곳에서 영화가 다시 시작되는 듯 새롭게 다가오는 힘도 있다. 이 영화 〈윈드 리버〉 역시 그렇다.

미국 와이오밍의 윈드 리버 인디언 보호구역. 겨울이면 영하 20도 강추위에 눈보라가 쉼없이 몰아친다. 코요테같은 포식 동물을 쏴 죽여 가축을 보호하는 게 직업인 '코리'(제러미 레너)가 젊은 원주민 여성의 유혈 낭자한 시체를 발견한다. 신참 FBI 요원 '제인'(엘리자베스 올슨)을 도와 살인범을 쫓는 동안, 코리와 희생자 가족 사이 얽힌 아픔, 영역을 잃은 야생동물처럼 보호구역 안에 갇힌 아메리카 원주민의 절망, 사건 뒤에 숨겨진 인간 본성

의 추악한 비밀이 조금씩 민낯을 드러낸다.

퍼렇게 날선 이야기의 힘

도입부에서 영화는 설산과 설원 위 검푸른 밤하늘에 퍼렇게 날을 벼린 칼처럼 가슴을 파고드는 달의 이미지로 관객을 압도한다. 맨발로 그 위를 뛰어가는 젊은 여자의 가쁜 숨소리 위로 고운 목소리의 내레이션이 덧씌워진다. "나의 세상에는 아름다운 초원이 있다/ 나뭇가지가 춤추듯 바람에 나부끼고/ 햇살이 부서져 호수에 물결이 이는/ 나무는 다시 잎을 피울 테고/ 이곳에 겨울은 결코 오지 않으리/ 당신을 아는 단순한 완벽함 속에 안식을 찾으리." 여자는 눈밭 위에 피를 토하며 한 차례 쓰러졌다 일어나 달리지만, 다시 한 번 더 쓰러지고 일어나지 못한다. 이 잔혹한 풍경과 아름다운 시의

패러독스는 영화 전체를 지배하는 비애의 정조 속으로 관객을 빨아들인다.

감독 테일러 셰리던은 2017년 이 영화로 프랑스 칸 국제영화제의 주목할 만한 시선 부문 감독상을 받았다. 〈시카리오〉(2015)와 〈로스트 인 더스트〉(2016)의 각본가로 먼저 이름을 알렸던 배우 출신. 이어서 〈윈드 리버〉까지, 그가 쓴 시나리오는 미국-멕시코 국경지대, 텍사스 황무지, 와이오밍 설원으로 배경을 옮겨 다닐 뿐 실은 거울에 비친 한 사람 얼굴처럼 닮아 있다. 비애로 가득 찬 약육강식의 세계가 있고, 아무리 발버둥쳐도 벗어날 수 없는 실존의 한계가 있으며, 그 고통을 껴안고 살면서도 꺾일지언정 굽히지 않는 사람들이 있다. 〈윈드 리버〉에도 작가 셰리던의 인장은 선명하다. 이 영화들은 '현대 웨스턴 3부작'이라는 별명을 얻었고, 셰리던은 본인이 가장 아꼈던 마지막 시나리오 〈윈드 리버〉를 직접 감독했다.

셰리던이 영화의 이야기를 쌓아올리는 솜씨에는 이제 막 감독을 시작한 사람이라 생각하기 어려운, 연출자로서 갖는 경이로운 확신이 스며 있다. 가슴을 턱 막히게 하는 극단적 폭력의 순간들이 있고, 차가운 안개 속에 들어선 것처럼 부지불식간에 몸을 적시는 정서적 침묵의 순간들이 있다. 그 기막힌 균형으로부터 보는 이의 마음을 강한 중력으로 끌어당기는 무거운 공기가 만들어진다. 양쪽 팔에 무거운 추를 단 천칭저울대가 더 이상 힘을 견디지 못하고 부러져 나가는 순간이 올 때, 폭넓은 사회적 부정의의 문제가 그 폭발의 균열로부터 가스처럼 뿜어져 나온다. 그 리듬감에 몸을 맡기는 것 만으로 관객은 360도 회전하는 롤러코스터를 10번은 탄 것처럼 멀미를 느끼게 된다.

특히 코리와 제인이 마약중독자 원주민 청년들의 아지트 문을 두드렸다

총격전을 벌이는 장면, 그리고 살인범들과 벌이는 클라이맥스의 마지막 총격전은 그 균형, 균열, 폭발, 멀미를 앓는 듯한 통증의 가장 우아한 집합이다. 영화는 사건의 잔혹함이나 범죄 미학에는 관심이 없다. 카리스마 넘치는 살인범이나 정의의 사자 수사관, 번쩍이는 은제 나이프와 포크로 인육(人肉) 스테이크를 썹는 스타일리시한 연쇄살인마 없이도, 영화는 집단 강간 뒤 살해당한 여성의 사연과 그 주변 사람들의 비극을 교직하며 다른 어떤 범죄 스릴러 영화에서도 볼 수 없었던 강도의 극적 긴장을 드라마 전체에 부여한다. 이야기가 스스로 뿜어내는 강력한 에너지다.

벗어날 수 없는 한계, 끝없는 좌절의 땅

전술했듯 윈드 리버는 와이오밍 주의 원주민 보호구역이다. 아마도 그 지역 원주민의 언어로 된 이름을 갖고 있었을 것이다. 이 영화에선 아무도 그

이름을 본래 그 땅을 가리키던 언어로 부르지 않는다. 오히려 이 땅에 쌓여 있는 것은 가장 진보된 사회라는 미국의 번영이 딛고 선 비극의 총합이다. 조상들이 가졌던 것을 빼앗긴 원주민들의 대물림되는 빈곤, 침묵과 눈 외엔 아무 것도 없는 권태, 손에 잡힐 듯 하다가 싸락눈처럼 부서져 내리는, 거대한 적설의 시신 위로 섞여 들고 마는 희망, 끝없는 좌절 같은 것들이다.

필연적으로 이 땅과 그 속의 사람들은 잔혹한 알레고리를 형성한다. 그 알레고리의 순환 안에 개인이 어찌할 수 없는 사회적 굴레, 사람이 짊어져야 하는 삶의 무게와 실존의 한계들이 엮여드는 것이다. 죽은 나탈리의 동생, 대학도 나오고 군대도 다녀왔지만 결국 인디언 보호구역 안의 마약 중독자가 된 남자는 코리에게 말한다. "나라고 이렇게 살고 싶었겠어요. 너무 화가 나서, 온 세상과 싸우고 싶었다고요." 코리는 답한다. "알아. 나도 그랬어. 그래서 난 결심했지. 세상과 싸워서 이길 수는 없으니 나 자신과 싸우기로." 딸 나탈리의 사망 소식을 전할 때 그 아버지의 대사는 이 영화 전체가 가진 절망의 정조를 한 문장으로 압축한다. "난 너무 지쳤어 코리. 이 삶을 사는 데 너무 지쳤어."

'영하 20도 눈밭을 맨발로 얼마나 뛸 수 있느냐'는 FBI 요원 제인의 질문에 코리는 답한다. "살려는 의지를 어떻게 측정할 수 있겠소? 그 애는 전사戰士요. 당신이 얼마를 생각하든, 그 애는 훨씬 더 많이 뛰었을 거요." 늑대를 닮은 회색 눈동자를 가진 제레미 레너와, 스칼렛 위치가 아닐 때 훨씬 좋은 연기를 보여주는 엘리자베스 올슨의 이 대화를 통해, 영화는 단순한 살인 미스터리를 넘어 인간과 세계의 비극성에 관한 은유로 나아간다.

테일러 쉐리던 감독은 한 인터뷰에서 가장 좋아하는 감독으로 클린트 이스트우드와 마이클 만을 꼽았다. 이 영화 〈윈드 리버〉에는 클린트 이스트

우드 영화의 암울한 비장미와, 마이클 만 영화가 가진 건조한 폭력의 아름다움이 모두 스며 있다.

부도덕한 수컷들의 시대는 가고

이 영화의 제작자는 하비 와인스타인이다. 그는 오랫동안 할리우드 먹이 사슬의 왕좌에 군림했던 최강의 포식 동물이었고, 테일러 셰리던은 그가 더 먼 미래를 내다보고 키우던 신무기였다. 용기있는 여성들의 외침 '미투(#MeToo·나도 당했다)' 운동에 의해, 약자를 먹잇감 삼던 부도덕한 수컷들의 치세는 끝났다. 이 영화의 바닥에 깔린 것은 어쩌면, 눈보라와 무거운 정적에 미쳐버린 포식자 수컷들의 비참한 종말과 인과응보이다. 그런 영화가 하비의 마지막 프로듀싱작 중 한 편이라는 것도 아이러니다. 세상 일이란 참 한 치 앞도 내다보기 힘든 것이다.

영화 후반 병실에서, 제인은 코리에게 "솔직히 말하면 난 운이 좋았다." 라고 말한다. 과묵한 코리는 "아니, 운 같은 건 도시에나 있는 것"이라며, 아마도 영화 전체를 통틀어 가장 길게 말을 한다. "여긴 그런 거 없어요. 지나가는 버스에 치일 뻔하다 피하거나, 돈 넣은 은행이 털릴 뻔 하거나, 전화를 받으며 건널목 건너다 차에 치일 뻔하거나, 그런 걸 피하는게 행운이죠. 여기선 살아남거나 항복하거나 둘 중 하나예요. 늑대들은 운 나쁜 사슴을 사냥하는 게 아니에요. 제일 약한 놈을 잡는 거지. 당신이 살아남았다면, 그건 당신이 강했기 때문이에요." 제인은 "그 아이, 눈 위를 6마일이나 뛰었다."라며 처음 울음을 터뜨린다. 그 울음이 관객의 가슴을 저며온다. 누군가는 죽고, 누군가는 살아남아 집으로 돌아간다. 그 부조리를 결코 이해할 수 없다 해도, 결국 그런 것이다, 이 세상은.

이 영화가 오랜 시간 뒤에도 기억된다면, 그건 그 미래의 시간에도 똑같은 좌절이, 부서진 희망이, 여전히 해결되지 않은 인간의 부조리함과 먹고 먹히는 사회의 잔혹함이 남아 있기 때문일 것이다. 어디선가 또 다른 열여덟 살 나탈리가, 영하 20도의 눈밭 위를 맨발로 6마일 이상 뛰어 달아나다, 마침내 얼어붙은 자기 폐 안의 피가 터져 질식해 죽어가고 있기 때문일 것이다.

〈윈드 리버〉는 그런 영화다.

이 태 훈 _ libra@chosun.com
《조선일보》 문화부 기자. 종교, 미술, 영화 등을 담당했고, 현재는 공연 담당.

짐 자무쉬 감독

패터슨

감독/ 짐 자무쉬
출연/ 아담 드라이버,
골쉬프테 파라하니,
리즈원 맨지, 카라 헤이워드,
자레드 길만, 스털링 제린스,
나가세 마사토시, 메소드 맨
촬영/ 프레더릭 엘머스
음악/ 짐 자무쉬, 카터 로건
음향/ 다미앙 볼프, 로버트 헤인
편집/ 아폰소 곤칼베스

시가 영화가 되고 영화가 시가 되는 경지!
자무쉬는 현존하는 영화 감독 중 시인의 일상을 가장 잘
이해하고 있는 영상시인이라는 확신을 가지게 됐다.

— 추천위원의 선정이유 中

고요함과 디테일로 빚어낸
일상의 아름다움에 대한 기록

— **짐 자무쉬** 감독 〈**패터슨**〉

이재복

어떤 영화를 보면서 집중과 공감이 동시에 일어나는 경우는 흔치 않다. 관객의 감각과 욕구를 끊임없이 자극하여 집중을 이끌어내는 영화라 하더라도 그 집중이 반드시 공감으로 이어지는 것은 아니다. 공감은 어떤 사물이나 상황이 보편적인 만족의 대상으로 존재할 때 느끼는 인간의 감정이다. 이런 점에서 그것은 단순한 감각이나 욕구를 넘어선다. 공감이 이러하다면 영화에서 다양한 관점과 차이를 지닌 관객들을 어떻게 보편적인 만족의 대상으로 이끌 수 있을까? 이 물음이야말로 영화에서의 아름다움 혹은 미학이 작동하는 지점이라고 할 수 있다. 인간에게 아름다움(미)만큼 보편적인 만족의 대상인 것이 또 있을까? 이때의 아름다움이란 '주관적인 관점과 차이를 포괄하는 보편성'을 말한다.

　인간의 보편적 만족의 대상인 아름다움은 세계 내에 은폐되어 있고 우리는 그것을 발견하면 되는 것이다. 하지만 이 발견은 개념화된 논리가 아닌 직접적인 의식을 통한 섬세하고 치밀한 주의와 집중을 통해서만이 이루어질 수 있다. 우리가 대수롭지 않게 보아 넘기는 세계의 경우에도 그 이면에는 우리를 보편적 만족의 대상으로 이끄는 아름다움이 자리하고 있다고 볼 수 있다. 우리가 별 대수롭지 않게 지나치기 쉬운 대상은 많지만 그중에서도 '일상'은 특별한 데가 있다. 우리는 일상을 틀에 박힌 반복과 지루하고 단조로운 흐름 정도로 간주하여 그것을 무의미한 것으로 여기는 경향이 있다. 이렇게 되면 일상 내에 은폐되어 있는 새롭고 낯선 세계(의미)를 발견할 수 없다. 일상이 틀에 박힌 반복과 지루하고 단조로운 흐름 정도로 인식되는 데에는 우리가 일상에 직접적인 의식의 투사를 하고 있지 않기 때문이다. 미학의 기본 원칙 중 하나인 '일상을 낯설게 하기'란 이러한 상투성에 대한 파괴 및 해체라고 할 수 있다. 일상에 우리의 직접적인 투사가 이루어지면 그 일상은 미묘한 변주와 차이의 대상으로 존재하게 되어 우리는 일상의 이면에 은폐되어 있는 새롭고 낯선 세계를 발견할 수 있게 되는 것이다.

짐 자무쉬의 〈패터슨〉은 이러한 일상의 변주와 차이에 주목해 그 이면에 은폐되어 있는 세계의 의미를 발견해내고 있는 아름다운 영화이다. 이 영화는 패터슨시의 버스기사인 패터슨이라는 인물의 한 주 동안(월요일에서 시작해 다음 주 월요일까지)의 일상에 초점이 놓여 있다. 패터슨의 일상은 반복적이고 단조롭다. 아침 6시 12분에서 30분 사이에 기상하여 우유와 시리얼로 배를 채운 뒤 도시락과 노트가 든 작은 가방을 들고 걸어서 출근한다. 버스회사에 출근해서는 버스 운행 매니저인 도니와 가볍게 인사를 나눈 뒤 23번 버스를 몰고 정해진 코스를 따라 운행을 한다. 점심은 아내인 로라가 싸준 도시락을 폭포 앞 벤치에 앉아 먹고 오후 3시쯤 퇴근한다. 아내와 저녁을 먹고 애완견 마빈과 산책을 한 뒤 단골 바에 들려 맥주를 한 잔 마신다. 이 사실만 놓고 보면 그의 일상은 단조로운 반복의 연속처럼 느껴진다. 하지만 영화는 단조로운 반복을 넘어 미묘한 변주와 차이를 드러낸다.

하루의 시작은 침대 위지만 그와 아내의 모습과 서로 주고받는 대화는 조금씩 다르다. 어떤 날은 패터슨보다 로라가 먼저 잠에서 깨기도 하고, 또 패터슨에게 어떤 날은 꿈 이야기를 하기도 하고 어떤 날은 패터슨의 몸 냄새 이야기를 하기도 한다. 아침 집에서 보여지는 이 미묘한 차이는 회사와 버스 운행 과정에서도 드러나고 또 저녁 단골 바에서도 드러난다. 아침마다 달라지는 회사 동료인 도니의 푸념이나 어떤 날은 허세로 가득한 동네 남자들의 이야기가, 또 어떤 날은 무정부주의자 학생들의 이야기가 꽃을 피우는 버스 안의 풍경은 반복 속에서의 변주를 드러낸다고 할 수 있다. 물론 이 변주가 버스의 고장이나 단골 바에서처럼 스티로폼 총알이 든 장난감 총으로 자살을 시도하는 예상치 못한 사건의 형태로 드러나기도 하지만 이것 역시 반복되는 일상 속에서의 변주에 다름 없다고 할 수 있다. 이 변주가 생뚱맞거나 생경하다고 느껴지지 않는 데에는 그것이 일상의 한 과정과 긴밀하게 연결되어 있기 때문이다.

영화가 보여주는 일상의 변주는 패터슨의 시선이나 행동을 통해 제시된다. 그는 자신이 대하는 일상을 반성적으로 인식하고 있다. 자신이 일상 속에서 체험하는 모든 것들이 그의 반성적인 의식을 매개로 하여 제시되는데 영화에서 그 역할을 하는 것이 바로 '시'이다. 그에게 시는 일상의 반성된 형식이다. 이것은 일상이 따로 있고 시가 따로 있는 존재 방식이 아니라 둘 사이의 경계가 해체된 그런 존재 방식을 의미한다. 그의 일상 하나하나가 모두 시적 잠재성을 지닌 채 존재하고, 그가 시 쓰기를 하는 순간 그 일상은 그만큼 변주되어 드러난다. 그가 아침에 출근하여 23번 버스를 몰고 나오기 전 운전석에 앉아 시를 쓰는 순간 변주와 차이를 동반한 일상은 탄생한다. 또 점심시간 폭포 앞 벤치에 앉아 시를 쓸 때나 잠들기 전 지하실 서재에 앉아 시를 쓸 때 역시 변주와 차이를 동반한 일상은 새롭게 탄생한다. 시로 승화된 일상이 아니라 일상으로 승화된 시의 세계가 탄생하는 것이다. 그의 시에 투영되어 있는 아내의 이미지라든가 확성기 모양이 그려진 성냥갑, 저녁 산책 후 단골 바에서 맥주를 마실 때 보게 되는 잔, 버스를 운행하면서 느끼는 길, 와이퍼, 비 등의 이미지들은 단순한 재료가 아니라 일상으로 승화된 시적 질료라고 할 수 있다.

일상으로 승화된 시의 세계의 모습은 그에게서만 발견할 수 있는 것은 아

니다. 그것은 집안의 커튼과 자신의 옷을 직접 디자인하고 기타 연주와 컵 케이크 만드는 일에 행복을 느끼는 그의 아내 로라, 옛 공장 근처에서 만난 시 쓰는 쌍둥이 소녀, 꽂히면 어디서든 랩을 한다는 코인 세탁소에서 만난 사내 그리고 자신은 시로 숨을 쉰다는 폭포수 앞 벤치에서 우연히 마주친 일본인 시인 등을 통해서도 잘 드러난다. 특히 자신이 쓴 시를 애완견 마빈이 갈기갈기 찢어발겨 놓은 후 상실감에 젖어 있는 패터슨에게 빈 노트를 주면서 "때론 텅 빈 페이지가 가장 많은 가능성을 선사하죠."라는 말을 남기고 가버리는 일본인 시인의 모습은 시 역시 매일 매일 새롭게 변주하는 일상의 그것에 지나지 않는다는 것을 강하게 환기한다. 시 혹은 시의 언어를 통해 일상의 흔적을 남기고 재현하는 일이 중요한 것이 아니라 일상의 순간순간이 시가 되는 그런 삶을 사는 것이 중요하다는 것을 그 빈 노트는

상징하고 있는 것이다. 일본인 시인이 보인 이러한 의도를 알아차린 패터슨은 펜을 꺼내 그 빈 노트에 다시 시를 쓴다.

　패터슨의 이러한 시쓰기의 지속은 그의 일상의 성숙이면서 동시에 일상으로 승화된 시의 성숙을 의미한다고 볼 수 있다. 그가 시를 쓰면서 일상에 대한 반성적 의식을 키워가기 때문에 그의 내면은 더욱 고요해질 수밖에 없다. 이 고요는 세계와의 불화로 인해 깨져버린 평정을 겨냥하면서 단순한 감각이나 욕구로 채워질 수 없는 어떤 보편적인 만족의 감정을 불러일으키게 한다. 일상의 시간 속에서 소외되고 배제되어버린 자신의 주체성과 존재성을 회복하려는 의지는 시를 매개로 하여 이루어지며, 이때 여기에서의 시는 일상의 깊은 곳, 다시 말하면 고요한 형식으로 존재하는 세계의 깊은 곳까지 굽어보는 하나의 통로가 되는 것이다. 일상의 이면에 은폐되어

있는 세계는 일상을 틀에 박힌 반복과 단조로운 흐름으로 보는 그런 상투적
인 의식으로는 드러나지 않는다. 일상의 이면에 은폐되어 있는 세계는 영화
속 패터슨처럼 일상에 대한 깊고 고요한 응시와 사소한 디테일까지 섬세하
게 들여다보고 챙기는 태도를 통해서만이 그 전모가 드러날 수 있다. 우리
가 이 영화 〈패터슨〉을 보고 감동하고 또 이 세계에 공감 했다면 그것은 시
적인 고요함과 디테일로 일상의 아름다움을 발견하고 그것을 드러내려는
〈패터슨〉(감독)의 의도와 통한 것이라고 볼 수 있다. 우리는 종종 어떤 대
상이나 상황을 보고 시적이라고 말한다. 그것은 우리가 어떤 대상이나 상황
을 보고 여기에서 시적인 것을 발견했기 때문에 가능한 말이다.

　이런 점에서 패터슨은 이미 훌륭한 시인이다. 그가 일상 속에서 발견한
것들은 이미 그 자체로 훌륭한 시 아닌가!

이 재 복 _ momjb@hanmail.net
문학평론가. 저서로 『몸』 『비만한 이성』 『한국 문학과 몸의 시학』 『우리 시대 43인의
시인에 대한 헌사』 『한국 현대시의 미와 숭고』 등이 있음. 고석규비평문학상.
젊은평론가상, 편운문학상, 애지문학상 수상. 《쿨투라》 《본질과현상》 《시와사상》
《시로여는세상》 편집위원. 한양대 한국언어문학과 교수 겸 한양대 미래문화연구소 소장.

영화 〈아이 캔 스피크〉의
김현석 감독 대담

의미 있는 소재 · 주제에 나문희 선생의 인생 연기 돋보여

평론적으로 천시 받는 경향이 있어도, 로맨틱 코미디가 좋아

대담자: **전찬일**(영화평론가, 본지 기획위원)

일시: 2018. 2. 14 수요일 오후 3시 　　**장소:** 쿨투라 아트홀

사진 및 정리 : 작가 편집부

전찬일(이하 전): 『2018 '작가'가 선정한 오늘의 영화』 최고의 한국영화로 선정된 〈아이 캔 스피크〉의 김현석 감독을 모셨습니다. 일단, 시간 내주셔서 감사드리고, 축하도 드립니다. 당사자는 별 감흥 없을지 모르지만 전년도에 선보인 수백편의 한국영화, 외국영화들 중 각 10편이 선정됐고, 영화평론가, 영화기자, 그리고 문학 쪽 등등 문화계에 종사하는 사람들에 의해 선택됐다는 점에서 꽤 큰 의미가 있을 겁니다. 또, 그 인원이 거의 백 명에 달하기 때문에 사실 선정이 상징적이며 대표적이라고도 할 수 있을 것 같습니다. 마지막까지 경합을 벌였던 〈택시운전사〉, 〈남한산성〉, 〈1987〉 등 쟁쟁한 경쟁작들을 물리치고 〈아이 캔 스피크〉가 2017년 최고 한국영화로 뽑혔다는 것은 저한테도 굉장히 특별하고 남다르게 다가왔어요. 어때요? 그 소식을 저랑 인터뷰 일정 잡으며 들었을 때, 어떤 느낌이었나요? 너무 당연하다는 식으로 받아들이는 것 같기도 했는데…(웃음)

김현석(이하 김): 아, 제가 말투가 그래요. 말투가 시큰둥하다고 할까요. 지금 언급하신 작품들 다 저도 좋게 봤고요. 사실 감독인 제게도 〈아이 캔 스피크〉는 약간 역부족인 듯한 결함이 있어요. 완성도 측면에서. 공교롭게 앞에 언급하신 작품들이 다 100억대 이상의 영화잖아요? 저희 영화는 30억대예요. 요즘 기준으로 '작은 영화'라 감독으로서는 아쉬운 점이 있죠. 기술적 완성도라든지 이런 점에서는 어쩔 수 없는 태생적 한계가 있어요. 지금 다시 봐도 결함들이 보이지만 그런 것을 덮어주는 장점을, 미덕을 봐주신 것이라고 생각해요. 〈남한산성〉, 〈1987〉 같은 경우는 영화적으로 훌륭하잖아요. 연출적 측면에서 보면 더 꼼꼼하고 세련됐다고 생각해요. 사실 부럽죠. 제 작품은 영화의 소재든 주제든 의미도 있고 나문희 선생님의 인생연기도 있고, 복합적으로 봐주신 듯하네요.

〈아이 캔 스피크〉는 30억대 후반, 저예산 영화

전: 김감독께서 인터뷰의 결론을 다 말해주셨네요. (웃음) 지금 말씀하신 것들을 하나하나 깊이 있게 짚어 가면 아주 멋진 인터뷰가 될 것 같네요. 사실 감독으로서 자기 영화의 어떤 결함, 부족함을 솔직하게 털어놓는다는 게 쉽지 않거든요. 제가 영화평론을 이십 수 년 간 해왔습니다만, 그렇게 솔직하게 털어놓는 경우는 별로 없었죠. 상대적인 저예산, 예로 든 다른 영화들이 100억대 영화들이었다면, 이 영화는 30억대, 제가 알기로는 순제작비가 39억인가 그런데?

김: 30억대 후반이에요. 시작은 35억으로 했는데 조금 오버했죠.

전: 자료를 보니 39억이라고 쓰여 있는데, 그러면 영화의 결함들이, 감독으로서의 역량 부족 같은 것들이 상대적 저예산 같은 요인으로 인한 결과라고 느끼는 겁니까?

김: 복합적입니다. 일단 〈아이캔 스피크〉는 명필름이 공동제작사고요, 영화사 '시선'이라는 데서 개발을 했고, 이런 얘기를 지금 해도 되는지 모르겠으나, 저 이전에 다른 감독이 있었어요.

전: 그런 얘기 뭐, 나쁜 얘기는 아니니까…

김: 표류하던 프로젝트였던가 봐요. 3년 정도. 그러다가 명필름이 공동제작으로 붙으면서, 패키지로 다시 만들어 저한테 의뢰를 한 거죠. 저는 원래 다른 회사 시나리오를 잘 안 받거든요. 제가 직접 쓰기 때문에 잘 안 받는데, 명필름과는 친분도 있고 해 거절하다가 나중에 하기로 하고 봤더니 공동제작이더라고요. 지금 2월인데, 제가 시나리오를 받은 게 2016년 12월이었어요. 1년 3개월 전이죠. 그리고 2017년 1월 2일에 첫 출근을 했어요. 근 1년 전에. 1월 2일에 첫 출근을 했고, 지금 1년여가 지났는데 영화가 개봉된 지 벌써 몇 개월이 지났네요. 영화는 3월 말에 크랭크인했어요. 1월, 2월, 3월…그러니까 3개월밖에 걸리지 않았죠, 크랭크인하는데. 두 달 반 정도 각색한 거고요. 애초에 저한테 명필름으로부터 이 영화는 무조건 3월에 촬영이 들어가야 하고 예산은 처음에 34억인가 정해져 있고, 결과적으로 추석 연휴에 맞춰 9월에 개봉됐지만 8월 광복절에 상영할 수 있게 납기일을 맞춰 달라는 요구가 있었어요. 제 영화 중에는 〈쎄시봉〉(2015)이 순제 65억이 들어가 가장 큰 영화였지만, 요즘 기준으로 블록버스터 급은 아니죠.

〈광식이 동생 광태〉(2005)나 〈시라노: 연애 조작단〉(2010)은 작은 영화들이었고요. 20억대 정도 들어간. 그래 〈아이 캔 스피크〉의 규모는 마음이 편했고, 나름 의욕이 있었죠. 그렇게 말할 수 있을 거 같아요.

또 제가 재작년에 중국영화 준비하다가 허송세월해서 현장에 대한 갈증이 있었어요. 두 달 반 각색하고 빨리 촬영에 들어가니까 그런 재미는 있었는데 참 힘들더라고요. 그래서일까 제가 앞서 말씀드린 내러티브적인 결함이 있어요. 제가 최대한 제 방식으로 바꾸기는 했는데, 애초에 다소 관성적인 면, 예를 들어 용팔이 철거 시퀀스라든지 그런 것들이 좀 쉽게 풀려 있더라고요. 결국 그것은 못 바꿨는데, 철거나 재건축 같은 문제를 바꾸려고 하면 영화의 큰 틀을 바꾸는 거라 무리겠더라고요. 시간이 있었다면 그것을 드러내고 다른 부품을 넣었을 텐데 주어진 기간에는 힘들었죠. 결국 제가 할 수 있는 것은 최대한 저랑 안 맞는 것들을 들어내고 제 식으로 만드는 거였죠. 가령 위안부 소재를 코미디로 푸는 것에 대해서도 투자자들이 매력을 못 느낄까봐 좀 두려웠죠. "괜찮긴 한데, 이걸 코미디로 풀어도 되겠어?" 등 소재에 대한 두려움 같은 게 있었죠. 그래도, 저는 〈스카우트〉(2007) 같은 영화도 해봤고 해서 자신이 있었어요. 근데 막상 각색을 하다보니까 최대한 짧은 시간 내에 제 색을 입혀야 되는데, 아까 말씀드린 것처럼 어찌할 수 없는 것들은 현실적으로 방법이 없으니까 그런 것들은 인정하고 나중에 장점으로 덮자는 생각을 했어요. 또한 코미디 코드를 최대한 제 식으로 바꾸려고 했고, 영화 70분 지점에서 갑자기 영화가 다른 느낌으로 가니까 그 변곡점에 최대한 이물감 들지 않게 하는 것, 그게 되게 어렵다고 생각했던 건데, 거기에 승부를 걸었어요. 한국영화 되게 뻔하다는 공식, 즉 초반에는 웃기다가 나중에 감동 주겠지, 하는 것이 관객들의 선입관이잖아요? 우리도 어쩔 수 없이 그렇게 될 수 있었지만, 그 관성적인 느낌을 없애려고 노력했어요. 마침 이 영화도 그렇고 다른 영화에서 썼던 코드들이 살짝 1차원적이라기보다는 약간 느슨하고 반 템포 느리고, 제 식의 코미디 호흡이 있는 거 같아요. 제 코드를 입히면서 앞부분을 톤다운 시키는 효과도 있었고요. 결과적으로 보면 아재 개그기도 하고 어떻게 보면 무리수일 수도 있었는데, 잘 넘어가서 나중에 결과를 보고 다행이다 싶었어요. 그런 내러티브 상 성긴 구조 같은 거는 어떻게 해볼 수는 없겠더라고요. 아까 말씀드렸지만 "결함들을 최대한 장점으로 덮자", 그랬던 것 같아요.

프로덕션적인 것은 예산의 한계가 있죠. 요새는 뭐, 100억 짜리 영화도 큰 영화라는 느낌이 안 들더라고요. 한 200억은 돼야 큰 영화라고 할까요. 게다가 저희 영화엔 해외 프로덕션도 있잖아요. 지금 생각하면 제가 기특하더라고요. 왜냐하면 미국 촬영 때는 너무 힘들었거든요. 감독들이라면 내러티브나 시나리오적으로는 비용이 덜 들어가게 어떻게든 해결을 할 수 있는데, 화면에 나오는 기술적인 거는, 블록버스터를 하고 싶은 게 아니라, 잘 해내고 싶은 그런 욕심이 있죠. 예산이 크면, 특히 미술이나 촬영은 정말 예산이랑 직결이 되잖아요, 블록버스터의 세계관을 좋아하는 게 아니라, 모든 감독들이 비슷할 거예요, 쓸 데 없는 돈이 아니라 필요한 돈은 쓰고 싶다는 생각은 할 거에요.

전: 만약에 예산이 넉넉했더라면, 그래 이 영화를 보완 내지 보강한다고

하면 미국에서의 로케이션 부분입니까? 제가 볼 때 미국 의회 시퀀스는 정말이지 예산 부족 같은 것을 별로 느끼지 못할 정도로 멋지게 다가왔거든요, 개인적으로.

김: 다들 그렇게 생각하더라고요. 그런데 제가 미쳤나 봐요. 그 때는, 콘티대로는 못 찍었어요. 정말 다행이었던 게 미국의 실제 배우들이 훌륭했어요. 예산이 작아, 미국 가서 최소한으로 워싱턴 외부는 하루 정도 찍고, 내부는 그냥 한국에서 한국에 있는 외국배우들 최대한 끌어 모아 해볼까 그런 생각도 잠시 했었는데, 그렇게 되면 서프라이즈 식의 영화가 될까봐, 그리고 국내의 내부 세트에서 구현할 수 없는 묘한 워싱턴만의 분위기 때문에 그럴 수는 없었어요. 그래 무리해서라도 생생한 현장감을 위해, 워싱턴 의회를 섭외하고자 했어요. 하지만 그곳은 공간적으로 너무 좁은 등 치명적 문제점이 있어 워싱턴 의회와 비슷한 느낌을 주는 장소를 물색했죠. 그러던 중, 시나리오를 좋게 본 미국 버지니아주 영상위원회가 적극 나서줬고, 버지니아주 리치몬드의 200년 된 실제 의회에서 촬영을 할 수 있었죠.

헌데 영화의 맛을 제대로 재현하려면 돈이 많이 들겠다는 생각이 들었어요. 결과적으로는 잘 풀렸지만, 미국 프로덕션 쪽은 정말 문제가 많았어요, 프로덕션적으로. 그래서 그냥 정말 한국식으로 해결했어요. 영화를 잘 보면 미국 측 움직임이 없어요, 화면의 움직임이. 트랙을 못 썼어요. 트랙이 없었던 것이 아니라 트랙으로 했으면 시간 안에 못 찍으니까, 정말로 카메라 두 대를 등지고 찍었다니까요. 조명 무시하고, 없는 것 보다는 나으니까. 근데 미국 현지의 실제 배우들의 연기가, 비록 짧게 나오긴 하나 그 분들의 연기가 깊은 맛이 있고 좋았어요. 그래도 돈이 더 있었으면 조금 더 프로덕션이 여유 있게 진행되었을 텐데…현장이 힘들었던 거죠. 스타일리시한 영화가 아니긴 하지만, 예산이 그런 거랑 관련 있잖아요. 저는 다른 영화들에서도 그렇고, 테이크를 많이 가는 편은 아니긴 하나, 이번에는 선택의 여지가 없었어요. 정말 다행인 게, 역시 천하의 나문희 선생님이었다는 거죠. 만약에 좀 부족한 연기자였으면 정말 힘들었겠죠. 그리고 연륜이 많으신 선생님들이 촬영 횟수 많은 걸 싫어하시잖아요.

전: 네, 사실 나문희 선생님에 대해서는 잠시 후에 깊이 있게 들어가야 하기 때문에 조금 있다 다시 말하기로 하고…인터뷰 전에 말씀드렸습니다만 개인적으로는 이 영화를 매우 좋아하면서도 한편으로는 아쉬웠던 게, 김감독께서 말씀하신 그런 점들 때문이에요. 변곡점 얘기를 하셨는데, 〈쎄시봉〉도 그렇고 김현석 감독이 드라마를 투 파트 구성으로 하는 것을 좋아하는 감독이구나, 그런 생각을 했어요. 아무래도 오늘 〈아이 캔 스피크〉와 〈쎄시봉〉 중심으로 인터뷰를 할 텐데, 〈쎄시봉〉도 보면 20대의 이야기와 40대 이야기가 맞물리죠. 영화 70분 이전에 나문희 캐릭터 즉 옥분이 사실은 위안부라는 것을 일찌감치 알려주고 전개되었더라면, 영화가 훨씬 더 강한 임팩트를 줬을 거라는 생각을 했어요. 손숙 선생이 연기한 정심 할머니를 통해 어렴풋이 짐작을 하게는 되지만, 그런데 너무 시치미 뚝 떼고 그저 도깨비 할머니로 그렇게 몰아가다가 반전식으로 급작스러운 방향 전환을 하는 것이 영화 전문가인 나한테는 다소 촌스럽게 다가왔던 거예요. 그래 그 두 파트가 좀 어색하다, 억지스럽다는 생각을 했던 거예요. 차라리 전반부부터 언더 톤으로 그 사실을 깔아주면서 드라마 속 캐릭터들은 모르더라도 관객들은 그걸 미리 알고 가슴 졸이면서 언제 저 사실이 드러날까, 그렇게 갔더라면 더 좋지 않았을까 하는 바람이 있었죠. 그래 이 영화를 좋아하는 하면서도 계속 고민을 했어요. 평론가로서 내게 2017년 최고 한국영화는 뭐냐를 계속 고민한 거죠. 〈1987〉을 보기 전까지는, 그 후보작들은 〈아이 캔 스피크〉, 〈택시운전사〉, 〈남한산성〉이었는데, 이 세 편 중 어느 걸 고를까, 고민

하다 영화적 완성도, 기술적 완성도로는 아무래도 〈남한산성〉이지 않을까, 싶었는데…

김: 〈남한산성〉이 최고죠.

전: 그런데 영화적 의의를 보면 〈택시운전사〉와 〈아이 캔 스피크〉 중 하나이고…그래 왔다 갔다 한 거예요. 그러다 어떤 영화가 더 길이 남을 영화냐를 봤을 때, 위안부 할머니 이야기가 조금 더 오래가지 않을까, 생각을 했어요. 왜냐하면 그 두 비극적 사건 중에서 광주항쟁보다는 위안부 이야기가 더 관심을 끌어야 마땅한 게 아닐까, 싶었던 거랄까요. 마침 2년 전에 선보인 〈귀향〉도 있고. 그래서 〈아이 캔 스피크〉 쪽으로 최종 선택을 해야 하나, 고민하면서 어느 날은 〈아이 캔스피크〉, 어느 날은 〈택시운전사〉, 어느 날은 〈남한산성〉 그러면서 왔다 갔다 한 거죠. 그러다 〈1987〉을 보게 됐고, 최종적으로는 〈1987〉이 제겐 2017년 최고 한국영화로 귀결됐죠. 그런데 '오늘의 영화' 기획위원들의 최종 회의에서 득표수도 그렇고 종합적으로 봤을 때 〈아이 캔 스피크〉가 최고작으로 가는 게 더 큰 의미가 있지 않겠느냐는 의

견들이 나왔고, 최종 〈아이 캔 스피크〉로 결론난 거죠.

요즘 저는 소위 영화적 완성도에 대해 적잖은 의문을 품고 있어요. 영화평론가로 25년을 지내왔고 82년부터 영화 스터디를 해왔으니, 그 누구보다도 영화적 완성도를 중요시하긴 하나 최근 몇 년 새 그 놈의 영화적 완성도에 대한 근본적 회의를 품고 있다고 할까요. 그게 과연 그렇게 중요한 것인가? 영화적 완성도라는 것에 대해 오해를 하고 있는 건 아닐까? '때깔'이 좋은 게 영화적 완성도냐가 높은 것이냐는 거죠. 그래 영화적 완성도에 대해 좀 다른 접근이 필요하지 않을까, 같은 생각을 많이 하고 있어요.

〈아이 캔 스피크〉는 가슴을 움직이면서 머리 쪽으로까지

김: 〈1987〉은 사실 거의 완벽한 영화인데, 2017년을 4일 남겨두고 개봉했으니까 그 맛이 더 있을 거예요. 정말 만장일치의 영화라고 생각하는데… 2018년 올해의 영화로 넘어가는 느낌도 있고요. 〈남한산성〉은 감독으로서 정말 부러워요. 김윤석 선배가 감독으로서 하고 싶은 걸 다했구나 하는 생각이 들어요. 아무튼 영화적 완성도에 대해서는 늘 생각을 해보는데, 저도 감독을 한지 15년이나 됐지만, 스스로 제 영화를 판단하자면 영화적 완성도를 충분히 실현하지는 못한 것 같아요. 〈쎄시봉〉도 그래요. 영화적 완성도면에서 보면 기술적 완성도도 그렇고 내러티브도 약간 성긴 구조가 있는 것 같고, 〈아이 캔 스피크〉도 알고도 못한 것도 있는 것 같아요. 그런데 이제 그런 것을 떠나서 미덕으로 덮자는 면이 있어요. 야구로 예를 들면 일본 야구랑 미국 야구의 차이가 있는데, 일본 야구는 일본 사회의 결함을 되게 보완을 해요. 너는 그걸 그렇게 하면 안 돼. 그걸 고치라고! 결함을 고치는 쪽이 일본 야구고, 미국 메이저리그는 하고 싶은 대로 하게 하며 장점을 그냥 크게 키우는 쪽인 거죠. 아무튼 완성도가 완벽한 것은 좋은 거더라고요. 이를테면 저도 〈남한산성〉을 되게 좋게 봤고, 결함이 없는 영화더라고요. 그런

데 그렇다고 미덕을 위해서 결함을 방관한 것은 아니에요. 영화라면 큰 자본이 투자되고 여러 사람의 시간과 노력이 있고, 더더구나 지금은 한국영화의 시스템이 합리화되는 과정 중에 제약이 심해지니까, 그 안에서 할 수 있는 일을 찾아야 할 것 같아요. 그 선택이 여러 가지가 있어요. 근데 저는 결함을 1% 줄이는 데 드는 시간보다는 그 시간에 장점을 강화하는 것이, 같은 시간 속에서도 전체적으로 효과적이더라고요.

전: 그런 게 작금의 심리학 흐름이죠. 이른바 긍정 심리학이 21세기에 들어서 급부상했잖아요. 예전에는 심리학에서 부족한 것들, 개인이든 사회든, 부족한 걸 찾아내서 그것들을 개선시키려고 애썼다면, 오늘날은 결점보다는 장점, SS 즉 시그니처 스트랭스Signature Strength라고 해서, '대표 강점'을 찾아 밀어주잖아요. 그 흐름을 상징·대변하는 진술이 "칭찬은 고래도 춤추게 한다"일 테고요. 그러니까 아무리 완벽하게 하려고 해도 인간은 완벽하게 무엇을 만들어낼 수는 없으니까 그 결함들에 집착하느니 오히려 장점들을 살려서 그런 방향으로 나가는 게 바람직하다고 보는 걸 테고, 저도 그 놈의 영화적 완성도에 대해서 계속 고민을 하게 돼는 거예요. 〈1987〉 이전까지는, 2017년 개인 최고작으로 〈남한산성〉을 꼽을까도 싶었는데, 결국에는

아니었죠. 이윤즉슨 〈남한산성〉 관련 특강도 하고, 그 특강을 준비하면서 명지대 사학과 한명기 교수가 쓴 역저『병자호란 1 – 역사평설』과『병자호란 2 – 역사평설』두 권을 정독했는데 그 책들을 읽고 보니 영화 〈남한산성〉에서 인조에 대한 묘사가 너무 단선적이고 문제가 많더군요. 공부를 하며 영화를 보니, 보이지 않던 영화의 결함들이 많이 보인 거죠. 영화 〈남한산성〉이 영화의 기술적인 테크닉, 완성도 면에서 최고라는 것에 대해 부인할 생각은 없어요. 한국영화평론협회에서 2017년 그 영화에 영평상 감독상과 작품상을 다 몰아줬잖아요. 그게 과연 바람직한 것인가 싶었는데, 기술적 완성도 면에서는 상대적으로, 감독 본인도 인정했듯, 〈남한산성〉에 비해 떨어진다고 평가돼온 〈아이 캔 스피크〉가 최종적으로 2018 오늘의 영화 최고 한국영화로 뽑혔어요. 그것은 여러 질문들을 던지게 하죠. 완성도보다 더 중요한 것을 우리가 놓친 건 아니었을까? 머리 즉 지적인 판단 외에 가슴을 움직인다는 면에서 봤을 때, 정서적 측면에서 봤을 때 〈남한산성〉이 가슴을 후벼 파는 데까지는 이르지 못하고 머리에 어떤 자극을 주는데 그쳤다면, 이 영화 〈아이 캔 스피크〉는 가슴을 움직이면서 머리 쪽으로까지 간 건 아닐까? 그렇다면 음악이건 영화건 때로는 기술적 완성도가 다소 떨어지더라도 수용자의 가슴에 다다른다면 그것이 그렇게 큰 흠이 될까, 같은 고민을 하게 되는 거죠.

김: 당연한 고민일 수 있는데, 비용이나 시간적 제약 등 때문에 그렇지 의도적으로 기술적 완성도를 떨어뜨리고 싶은 감독은 단 한 명도 없을 거예요. 그런 제약에 상대적으로 덜 좌지우지 되는 게 예산이 작은 영화들이잖아요. 2017 오늘의 영화 최고 한국영화가 〈동주〉였다면서요? 이준익 감독님이 어떻게 보면, 저랑 비슷하실 거예요. 미술 같은 거 설렁설렁, 배우 위주로 빨리 빨리 찍으시죠. 얼마 전에 배우 엄지원를 만났는데 저랑 이준익 감독님이 비

숫하대요. 우스개로 설렁설렁 찍는다고. 아무튼 근데 모든 감독들이 완성도를 포기하는 것이 아니라 하다보니까 그렇게 되는 거잖아요? 그리고 좀 전에 머리와 가슴에 대해 말씀하셨는데 "나는 가슴 포기할래", 그런 감독 있겠냐고요? 둘 다 만족시키고 싶은데 하다 보니까 그렇게 되는 거겠죠. 또 그런 영화가 없지는 않잖아요, 머리와 가슴을 다 만족시키는 영화? 개인적으로 저는 〈1987〉이 머리와 가슴을 다 울리는 그런 영화인 것 같아요…

좋은 영화가 무엇이냐

전: 그래서 저는 영화 평론가로서 좋은 영화가 무엇이냐는 질문을 받으며, 여러 가지 답변이 가능은 하겠지만, 인간이 크게 머리, 가슴, 몸으로 이루어지는 만큼, 구체적으로 말초적인 반응까지 포함해 감각적 자극을, 가슴으로 정서적 감흥을, 그리고 머리로 지적인 고양을 종합적으로 두루 안겨주는 영화가 좋은 영화라고 말하고 쓰곤 하죠. 사실 서구의 정통적 영화 비평은 주로 머리를 때리는 영화를 높이 평가해왔죠. 대표적인 게 오손 웰즈 감독의 〈시민 케인〉(1941)일 텐데, 지난 수십 년 간 1960년대 이후로 영국의 영화 전문 월간지 《사이트 사운드Sight and Sound》가 선정해온 역대 최고 영화라고는 하나, 저는 그렇게 여기질 않죠. 그 영화는 지나치게 머리로만 자극을 주지, 가슴을 움직이거나 몸에 안겨주는 게 별로 없다고 여기기 때문이죠. 저는 그 영화보다는 클린트 이스트우드 감독의 〈밀리언 달러 베이비〉(2005)라든지 페드로 알모도바르의 〈내 어머니의 모든 것〉(1999)이나 〈그녀에게〉(2002)를 더 좋아하죠. 페드로 알모도바르의 영화들은 정말이지 몸을 전율시키면서도 가슴 깊은 곳에서 우러나오는 큰 감동과 지적 자극을 선사하죠. 그의 영화들은 도발 그 자체이면서도, 묘한 깊은 감동을 안겨주죠. 페드로 알모도바르는 제 내 생애의 감독 중 한명인데, 저는 일찌감치 그렇게 영화에 접근을 해왔죠. 그런 식으로 접근을 하면 〈아이 캔 스피크〉도 그런 영화

중 하나라고 할 수 있을 거예요. 끊임없이 위안부 이슈를 상기시키면서 "아, 위안부 이슈를 이렇게 접근할 수도 있구나."하는 게 가장 높은 평가를 받게 한 요인이라고 보는데, 그러면서도 또 볼거리도 적잖고 가슴을 움직이는 지점들도 많죠. 막 웃게도 되고 눈물 흘리게도 되고…그런 점에서 흥행과 비평 두 마리 토끼를 다 잡는데 성공한 영화라고 할 수 있죠. 〈1987〉을 개인적으로 더 좋아하고 높이 평가하지만, 〈아이 캔 스피크〉가 최종적으로 2017년 최고 우리영화로 뽑혔을 때, 어떻게 보면 베스트 초이스가 아닐까, 하는 그런 생각을 했죠. 김감독과는 15년여 전에 〈YMCA 야구단〉(2002) 때 만나고 그 이후 한 번 정도 더 만나긴 했으나 무척 오랜만에 만나 인터뷰를 하고 있는데, 영화평론가인 전찬일과 감독인 김현석의 고민이 상당히 닮은 데가 있어 더 반갑네요.

김: 저도 데뷔 작품을 할 시기에는 어느 길을 가야 할지 잘 몰랐던 것 같아요. 이것저것 꼼꼼하게 했는데, 사람은 기질이 크게 변하지 않는다는 걸 알게 되었고, 그래서 그냥 내가 제일 편한 걸 하자. 왜냐하면 제가 꼼꼼하지 않으니, 영화도 그리 꼼꼼히 찍지는 않더라고요. 인생도 막 살고…(웃음) 제가 수학과 연관된다는 좌뇌를 잘 안 써요. (웃음) 입봉하기 전이나 감독 초반에는 영화인들이 좋아하는 그런 영화를 해야지 마음먹었죠. 폼 나는 거, 멋있는 거, 그런 거. 박찬욱 감독님의 영화는 정말 멋있잖아요. 그러다가 그런 영화들은 범접할 수 없는 경지구나! 그냥 내가 더 잘 할 수 있는 영화를 찍자, 이렇게 방향 전환을 했죠. 자연스러운 현상인 것 같아요. 그래서 전 지금 오히려 더 편해요.

김: 그리고 장선우 감독과 박광수 감독은 90년대 한국을 대표했던 쌍벽이었죠. 헌데 박광수 감독은 영화적 완성도를 너무 따진 나머지 〈칠수와 만수〉

(1988) 외에는 가슴을 움직인 영화가 없었어요. 〈아름다운 청년 전태일〉(1995)의 경우는 영화를 보고 마구 화가 났어요. "아니, 그 시대의 남루함을 멋진 미장센으로 포장해버리면 어떡한다는 거지?" 같은 게, 제 화의 요지였죠. 아마 서울대 미대를 다니며 형성된 완성도에 대한 집착이 드라마와 조화를 잘 이루지 못한 것 아닐까, 싶더군요. 그러고 보니 박광수 감독님은 지금 뭐하며 지내시는지 모르겠네요.

전: 지금은 교수를 하며 바쁘게 지내고 계실 텐데, 어떤 영화가 있었는지 기억이 안 날 정도로 50대 때 이미 퇴장의 분위기 만들어버렸어요. 1990년대를 한국영화계를 대표했던 감독이, 2000년대에는 몇 편 만들었어도 기억에 남는 영화 한 편 제대로 없다는 것이 참 안타까운 일이죠. 또 생각나는 감독이 윤제균 감독인데, 본인이 직접 말하길, 자기는 연출이건 기획·제작이건 공히 성공률이 90%라고 하더군요.

김: 〈낭만자객〉(2003)은 빼고요.

전: 그렇죠. 〈낭만자객〉 빼고는 거의 다 크고 작은 성공을 거뒀는데, 〈낭만자객〉의 실패가 그 이후의 윤제균 감독을 만들어 준 거라고 할 수 있죠. 제가 그 영화를 신랄하게 비판하는 평론을 썼었는데, 그해 칸영화제에서 윤감독을 우연히 만났을 때, 인사를 꾸벅 하더니 그러더군요. 윤감독 본인도 저의 〈낭만자객〉에 대한 비판을 수긍하긴 하나, 자신은 '쌈마이 영화'가 좋고, 그것 밖에 못 만든다고요. 그 영화에 대해 너무 센 비판을 해서인지 약간 미안한 마음이 있었는데, 그 말을 듣고 그 때부터 윤감독을 인정하게 됐고, 친해지기도 했죠. 결국 감독은 자신이 잘하는 영화를 하게 되는 거란 말이죠. 그래서 질문하고 싶은 것이, 〈YMCA야구단〉과 〈아이 캔 스피크〉 사

이의 영화들이, 나쁘고 좋고를 떠나, 너무 가벼운 것이 아닌가, 그래 영화평론가로서 관심이 덜 가는 영화들을 만든 것이 아닌가, 하는 생각을 하게 되는데 어떤가요? 더구나 〈아이 캔 스피크〉의 감독이란 것을 생각하면 연결이 더더욱 안 되는 지점들이 있어요. 결국 질문은 이겁니다. 코미디로 풀고 싶어 하는 영화적인 지향이 있는 건가요? 아니면 현장에서 살아남기 위한 전략이었나요?

저는 원래 멜로나 로맨틱 코미디를 좋아해요.

김: 살아남기 위한 것이 아니라, 저는 원래 멜로나 로맨틱 코미디를 좋아해요. 〈아이 캔 스피크〉 이전의 대표작이 〈광식이 동생 광태〉와 〈시라노; 연애조작단〉인데, 둘 다 '중박'은 했고, 그 영화들에 자부심이 있어요. 그리고 우리나라에서 평론적으로는 관심 밖이고 천시 받는 경향이 있지만, 저는 로맨틱 코미디가 좋아요.

전: 1990년대 한때는 〈결혼 이야기〉(1992)를 계기로 로맨틱 코미디의 시대가 있었는데, 그 흐름이 약해지고 거의 사라진 이유는 무엇이라 생각합니까?

김: 관객층이 젊어지고 세대교체도 이루어진데다, TV에서 이미 로맨틱 코미디가 넘쳐나기 때문에 굳이 극장에 가서까지 그것을 볼 필요를 못 느껴서라고 생각해요. 그리고 이미 예전부터 로맨틱 코미디 자체가 작은 예산이 들어가고 기획 자체가 작다 보니 캐스팅에도 영향을 미치게 되는 거죠. 좋은 배우들은 작은 영화, 로맨틱 코미디를 안 하게 되고, 그러다보니 악순환이 이어지는 것 같아요. 헌데 로맨틱 코미디의 진정한 대가는 홍상수 감독님이죠.

전: 로맨틱 코미디가 사라진다는 것에 대한 유감이라든지, 다시 살려내고 싶다는 욕망이 있나요?

김: 저는 쓸데없이 진지하게 되는 것을 싫어해요. 하지만 농담을 하고 유머를 한다고 그 사람이 진지하지 않은 건 아니잖아요? 〈아이 캔 스피크〉 같은 무거운 주제를 다룬다고 해도 코미디로 할 수 있는 거 아니겠어요? 앞으로도 그럴 거고요. 제가 제일 잘 하는 방식을 택한 거고, 그럴 거예요. 로맨틱 코미디가 이 지경이 된 것은 아쉽긴 하죠. 〈열한시〉(2013)를 찍었을 때는 멜로 감정도 잘 안 나오고, 스릴러가 유행할 때 나도 해볼까 하는 마음이 있었던 것인데, 그 경험을 통해 "시류를 따라가지는 말자, 잘하는 것을 하자"고 확신을 하게 됐죠. 저는 1,000만 관객 영화를 위해 100억짜리 예산의 영화를 하며, 제가 하고 싶지 않은 코드를 잡고 싶진 않아요. 중간 예산 정도의 영화라도 제 코드의 영화를 하고 싶어요. 그리고 산업적으로는 천만 영화가 2편 나오는 것보다 2~300만 영화가 5편 나오는 시장이 바람직하다는 말이 있는데, 〈아이 캔 스피크〉가 그런 영화의 성공에 일조를 하지 않았나 생각을 해요.

전: 우리나라에서 전통적 장르로는 코미디, 액션, 멜로 이 세 개가 있는데, 지금 한국 영화 시장에서는 코미디와 멜로가 힘을 못 쓰고 있어요. 그것을 의식을 했든 안 했든, 〈열한시〉 같은 예외를 제외하고는 김감독은 줄곧 그 장르의 영화들을 연출해왔으니 나름 새로운 시도를 하고 있다고 할 수 있을 거예요. 〈아이 캔 스피크〉도 큰 의미에서는 멜로드라마틱한 영화로 볼 수 있는데, 코믹하게 풀어내면서 300만이 넘는, 의미 있는 '중박'을 만들어내며 새로운 가능성을 보였다고 할 수 있죠. 본인의 장기를 잘 살려서 더 큰 성공을 얻어내는 것은 먼 훗날의 일은 아닐 듯하고, 그 길을 계속 걷는 것도 좋

은 일이라 생각합니다. 그런데 제 개인적으로 코미디의 생명은 페이소스라고 여기는바, 웃으면서도 눈물이 나는 영화, 예를 들면 김지운 감독의 〈반칙왕〉(2000) 같은 영화가 그런 경우인데, 대중적 성공의 기준을 500만 관객이라고 잡으면, 1,000만 관객은 얻어내기 힘든 스코어죠. 특히 한국에서 코미디 쪽은 더요. 그래 이 장르에서 큰 흥행을 하려면 코믹에 더해 큰 감동도 안겨주는 영화가 되어야 할 것이고, 이런 영화를 언젠가 김감독이 만들어낼 것이라 개인적으로 기대를 해봅니다. 다음 준비하는 영화는 어떤가요? 계속 걸어온 길을 가겠죠? 아니면 변신을 할 생각인가요?

　김: 변신하지는 않을 거예요. 제가 잘하는 것, 즐거운 것을 계속 할 겁니다.

　전: 어떤 영화는 납기일을 맞추기 위해 너무 서둘러서, 영화에서 급하게 한 흔적이 보이는 것도 있어요. 대표적으로 연상호 감독의 〈염력〉(2018)인데, 이 영화는 납기일을 맞추기 위해 너무 서두른 흔적이 역력했고, 특히 〈신과함께-죄와 벌〉(2018)의 CG(컴퓨터 그래픽)와 너무나도 비교가 되어 비판을 모질게 받았죠. 그렇게까지 비판을 받을 영화는 아닐 텐데, 〈부산행〉(2016) 감독의 차기작이 이 정도라는 것을 관객들은 받아들일 수가 없었고, 기대치를 배반한 것에 관객들이 비난을 퍼붓게 되고, 100만 관객에도 못 미치며 영화는 막을 내렸죠. 그래서 그 때 저는, 한국 관객들 정말 잔인하다, 〈부산행〉 감독의 영화를, 2~300만도 아니고 100만 관객도 채 보지 않다니, 라고 생각했죠. (웃음) 그에 반해 〈아이 캔 스피크〉는 서두르며 찍었다는 느낌을 받지는 않았어요. 헌데 인터뷰하며 들어보니 서두르며 찍었다는 것 같은데, 어떻게 생각하나요?

　김: 서두른 것이 아니라, 납기일이 정해져있어서 오히려 의욕적으로 찍었

어요. 여건의 한계가 동기 부여가 되기도 해요. 왜냐하면 주구장창 긴 작업은 창작자를 지치게 하니까요.

전: 8.15 광복절에 개봉할 수도 있었다는 말을 앞에서 했었죠. 요즘은 영화평론가로서 평론보다는 기획에 관심이 가는데, 결국 영화의 흥행에서 제일 중요한 것은 타이밍과 기획이라는 생각을 하곤 해요. 저는 〈아이 캔 스피크〉가 만약 더 빨리 만들어져서 광복절에 개봉했다면 500만은 물론이고 6~700만 관객도 달성하지 않았을까하는 생각을 해봅니다.

김: 영화감독은 구두 장인이라 생각해요. 나는 만들었으니 유통사에 넘긴다. 그럼 알아서 잘 팔 것으로 생각하며, 더 이상 신경 쓰지 않는 거죠. 그런 것을 생각한다고 더 잘되는 것도 아니고, 이렇게 하는 쪽이 마음이 더 편해요. 15년간 영화를 하다 보니 이런 면에선 성숙하게 된 것 같네요. 그리고 어차피 요즘엔 감독에게 개봉 날짜를 물어보지도 않아요.

위안부 소재에 대해

전: 위안부 소재가 쉽게 다룰 수 있는 건 아닌데, 처음 제안을 받았을 때 위안부 이슈에 대한 부담은 없었습니까? 명필름과 여러 편을 같이 작업하다 보니 그냥 받아들인 건가요? 아니면 평상시에 위안부 이슈를 자신의 방식으로 다뤄보고 싶은 생각이 있었나요?

김: 위안부 문제에 관한 관심이 처음부터 있었다기보다, 이런 문제를 이런 식으로 돌려서 얘기할 수 있다는 것에 의욕이 생겼습니다. 〈귀향〉처럼 정공법으로 다룬 영화 제안이 들어왔으면 흥미를 느끼지 못했을 거예요. 의미가 있는 영화라고 할지라도 말이죠. 저는 원래 직설화법을 싫어하는데, 물론

주구장창 농담만 하는 사람은 실없는 사람이지만, 농담처럼 얘기하지만 진심이 들어있는 걸 좋아해요. 즉 화술로써 농담을 활용하는 것을 좋아하므로 〈아이 캔 스피크〉의 방식에 매력을 느꼈습니다.

전: 화술로써 농담을 이용한다? 사실 한국영화 뿐 아니라 한국예술계에서 부족한 것이 그런 거고, 소설가 박민규가 그런 식의 엉뚱한 방식을 쓰는데, 한국 관객, 독자들이 그런 걸 못 받아들이는 경향이 있긴 하죠. 그런 점에서 한국관객들의 수용의 외연을 넓히는 것은 중요한 일이라고 봐요. 흥미로운 점은, 〈귀향〉과 〈아이 캔 스피크〉 둘 다 위안부 이슈를 다뤘지만 전혀 다른 방식으로 다뤘다는 거죠. 헌데 만약 〈귀향〉이 없이 코미디 분위기의 〈아이 캔 스피크〉가 나왔다면 지금과 같은 호평을 받진 못했을 것이라고 생각해요. 〈귀향〉은 상당히 무겁고 진지한 방식으로 갔는데 360만에 달하는 관객을, 〈아이 캔 스피크〉도 330만 가까운 관객을 얻었는데, 위안부 이슈를 다룬 두 영화가 2년도 안 되는 짧은 시간 안에 300만이 넘는 중박을 터뜨렸다는 사실은, 관객들이 위안부 소재들 다룬 무거운 영화를 받아들일 준비가 되어 있다는 것을 함축하죠. 〈화려한 휴가〉(2007)가 나오고 10년이란 세월 후에 나온 〈택시운전사〉가 1,200여 만 관객을 얻은 것처럼, 위안부 이슈를 잘 다룬 또 다른 영화가 나온다면 1,000만 고지를 넘을 수 있을 거라고 기대해봅니다.

평론가로서 수치를 따지는 것은 비판 받을 수도 있겠으나, 감독이 대중들과 폭넓은 공감대를 형성하는 것은 매우 중요한 것이라고 생각하기 때문에 자꾸 흥행 스코어를 언급하게 되는 걸, 양해 구합니다. 1,000만 관객 영화가 독과점의 산물이기에 큰 비판을 받곤 하나, 저는 천만 영화의 의미를 중요하게 여기고 있죠. 그런 점에서 〈귀향〉, 〈아이 캔 스피크〉에 이어 다른 영화가 또 나와서 더 큰 성공을 거두며 위안부 이슈가 더 많은 사람들에게 공유된다면, 그 때는 〈귀향〉과 〈아이 캔 스피크〉의 의미가 더 커지지 않을까 싶어요.

김: 위안부 문제를 다룬 영화 중 민규동 감독님의 작품(〈허스토리〉, 가제) 은 촬영이 끝났고, 류승완 감독님도 관련 영화를 준비한다고 하는 것 같은데. 접은 건지 보류인 건지 소식이 없네요. 〈군함도〉(2017)로 충격이 큰 것 같습니다.

전: 〈군함도〉로 액땜을 한 거죠. 큰 성공을 하다 보면 뭔가 걸립니다. 〈베를린〉(2013)의 성공 이후 〈베테랑〉(2015)으로는 더 큰 대성공을 일궈냈고, 2016 '작가' 선정 최고 한국영화로 뽑히기도 했는데, 잠깐 쉬어가는 거랄까요. 660만 명이면 실패라고 할 수는 없지만, 〈베테랑〉 차기작인데다 워낙 큰 성공을 기대하고 있었기 때문에, 실패로 여겨졌던 거죠. 이제 배우 얘기로 넘어가 나문희 선생님과 이제훈 배우에 대해 말해볼까요. 윤여정, 김혜자, 김수미 선생님 등을 제치고 나문희 선생님과 같이 작품을 하게 된 이유를 말해주시죠. 그리고 혹시 와중에 약간은 아쉬웠던 점이랄 게 있었는지요?

나문희 선생님의 서민적 카리스마!

김: 처음에는 비밀을 감추고 살다가 과거가 드러나고 앞으로 꿋꿋이 직진하는 캐릭터가 등장하죠. 정말 친근한 할머니 같은 이미지가 나문희 선생님에겐 다른 분들에 비해 훨씬 크다고 생각합니다. 앞에서 더 많이 친근하게 다가올수록 나중에 더 큰 슬픔이 부각된다고 생각했습니다. 그래서 나문희 선생님을 모시게 됐고요. 다른 사람들에게서는 연기에서 '벽'이 느껴지는데, 나문희 선생님의 연기에는 그런 벽이 없어요.

전: 보통 사람, 가장 서민적인 느낌?

김: 그렇죠. 하지만 서민적이라 하면 김영옥 선생님도 있어요. 나문희 선생님은 서민적이면서도 카리스마가 있어요.

전: 서민적 카리스마, 카피가 나왔네요. 나문희 선생님의 서민적 카리스마!

김: 나문희 선생님의 고유한 '쪼'랄까, 그런 게 있어요. 연기를, 스테레오타입한 사람들과 다르게, 아주 자유분방하게 하세요. 대본을 리딩할 때, 심재명 대표님이 말하길, 선생님께는 결례가 될 수 있지만 "송강호의 여자판이다!"라고 말했어요. 여배우 중에 그렇게 자유롭게 하는 경우를 못 봤으므로, 이렇게나마 표현하게 되네요. 이제훈 배우는 잔기술을 안 부리고 클래식하게 연기해요. "저게 대본이 아니고 애드리브였다고?" 같은 생활 연기를 잘하는 것도 좋은 연기지만, 요즘은 정통적인 연기가 사라지는 것 같다는 느낌이 드는데, 이제훈은 잔재주나 개인적 연기가 아니라 정통적 연기를 펼쳐요. 나문희 선생님의 자유로운 연기와 이제훈의 정통적인 연기가 충돌하는 케미가 생긴 거죠.

전: 평상시 삶이 그렇지 않은 다른 배우가 9급 공무원을 연기했으면 어색했을 법한데, 이제훈의 품성과 반듯한 9급 공무원의 이미지가 기가 막히게 들어맞은 거겠죠. 〈수상한 그녀〉(2014)에서는 심은경이라는, 좋지만 튀는 배우가 있었는데 관객 수가 8,660,000명으로 〈아이 캔 스피크〉보다 2.5배가량의 더 큰 성적을 거두고, 나문희 선생님도 기가 막힌 연기를 펼쳤는데도 연기 측면에서는 이번만큼 좋은 평가를 얻진 못했죠. 반대로 〈아이 캔 스피크〉는 나문희 선생님의 영화처럼 되어 버리고, 연기 생활 56년 만에 제37

회 영평상 여우주연상 수상 등 70대 중반에 최고의 전성기를 누리고 계시죠. 나문희 선생님은 요즘 행복해하실 것 같아요.

김: 어제 통화해봤는데 연말에 시상식 다니느라 몸져누우셨다고, 너무 바빴다고 하시더라고요. (웃음) 이제훈은 삶에 대한 태도가 되게 진중해요. 어떻게 보면 재미없죠(하하). 재미없을 정도로 자기 관리가 철저하고, 지금도 대중적인 스타인데 그전까지는 〈파수꾼〉(2010)의 영향 때문이지 영화인들이 더 좋아하는 배우였잖아요. 제가 같이 작업을 해보니까 이제훈은 작품 선택도 아주 신중하게 하더라고요. 크게 후진 영화가 없어요. 자기 관리 차원인지 작품 선택까지도 휘둘리지 않고, 연기 스타일도 클래식하고 본인이 자기 자신을 제일 잘 알고 자신에게 잘 맞는 걸 찾아가는 것 같아요. 개인기 같은 게 없어요, 실제로. 말도 재미없게 해요. 진화의 과정에서 요즘 트렌드와는 판이하게 달라요. 이를테면 조정석은 개인기가 뛰어난 친구죠. 만약 민재 역을 조정석이 연기했다면 나문희와 따닥따닥하는 맛은 더 재밌었을지도 모르겠어요. 이제훈은 본인 스스로의 진화 과정에서, 애초에 이런 것에 욕심을 두지말자라고 생각하는 거 같아요. 실제로 그런 거에 욕심도 없어요. 애드리브도 잘 안 해요.

〈아이 캔 스피크〉의 캐릭터

전: 조성희 감독의 〈탐정 홍길동: 사라진 마을〉(2015)에서 홍길동 같은 캐릭터는 웬만한 젊은 배우가 소화하기 힘든 캐릭터인데, 이제훈의 연기 폭이 꽤 넓어요. 영화 선택에서 그 점이 아주 잘 나타나죠. 나중에는 송강호까진 아니어도 이제훈만의 영화세계를 구축하지 않을까, 싶기도 해요. 30대 중반의 젊은 배우라 아직 갈 길이 멀지만, 그런 점에서 가장 기대가 되는 배우라고 생각해요. 김수현도 좋은 배우지만, 〈리얼〉(2017)의 대참패 이후 군대에

서 쉬면서 자기를 돌아보고 인기에 편승한다는 것이 덧없는 것이라는 걸 깨닫는 시간이 필요해요. 그 점에서 송강호가 '지존'이라고 할 수 있겠죠. 사실 송강호도 실패 많이 했어요. 예를 들어 〈복수는 나의 것〉(2002)은 전국적으로 40만도 동원 못했어요. 당시 제가 대학로에서 송강호, 박찬욱 감독 등과 술 한 잔 한 적 있었는데, 그때 송강호가 한숨을 내쉬며 그러더군요. 자기가 〈쉬리〉(1999)와 〈공동경비구역 JSA〉(2000)의 배우인데, 삼십 몇 만밖에 관객이 들지 않았다고. 하지만 그는 기죽지 않았죠. 그 이후로도 몇 차례를 흥행 실패를 맛봤는데도, 기죽지 않더라고요. 그러면서 이제는 천만 영화를 가장 많이 터뜨린 주연 배우로, 연기의 지존으로 간주·평가되고 있죠. 몇 년 전까지만 해도 최민식, 황정민 등과 자웅을 겨뤘는데, 지금은 완전히 송강호가 대세가 되어버렸죠. 자기 관리라는 게 의지적인 게 있고, 관리 차원에서 하는 게 있고, 품성과 연관된 게 있어요. 혼자 있을 때도 조심해야 된다고 얘기하는데 대부분의 경우 그렇지 않잖아요. 송강호 같은 경우는 20년 전에 〈초록 물고기〉(1997) 때 인사하는 거와 20년여가 지난 지금 대한민국 최고 스타 배우로서 인사하는 거와 큰 차이가 없어요. 저한테만 그러는 게 아니고, 깜짝깜짝 놀라곤 합니다. 어떻게 20년의 세월이 흘렀어도 그럴 수 있을까? 20년의 세월이 지나면서 저 같은 영화평론가쯤은 그냥 지나칠 수도 있는데, 그렇게 한결같이 인사하는 걸 보면서 자기 관리를 참 잘 하는구나, 하는 생각을 하곤 하죠. 그런 의미에서 이제훈에게 기대를 품어도 되겠다는 생각이 들어요.

김: 이제훈은 술도 안 마셔요.

전: 술 안 마시는 건 별로네요. 술은 좀 가르칠 필요가 있어요. (웃음) 〈아이 캔 스피크〉가 나문희/옥분, 이제훈/민재 투톱으로 가는 영화라 양적 비

중은 작아도 굉장히 중요한 캐릭터가 손숙 선생님이 연기한 문정심 캐릭터일 거예요. 우여곡절 끝에 〈귀향〉이 투자, 제작이 가능했던 게 손숙 선생님 덕분이라고 조정래 감독이 그러던데, 조감독과 친분이 있어서 노 개런티로 참여하시고, 또 나중에 받으신 개런티도 기부하셨다더군요. 손숙 선생님을 캐스팅하면서 〈귀향〉과의 관련성을 의식했나요?

김: 사실 저는 〈귀향〉을 영화관에서 보지 않았어요. 영화를 준비하며 〈귀향〉을 보게 됐는데, 그때는 이미 손숙 선생님이 후보에 들어있었죠. 정심 캐릭터가 상대적으로 영어 회화를 좀 더 잘 해야 했고, 조금 더 세련된 할머니 같은 느낌이어야 해 손선생님께서 리스트 업이 되어 있는 상태였었죠. 준비 차원에서 〈귀향〉을 봤더니 주인공이고, 옷 수선 집을 하시더군요.

전: 영화에서 돌아가실 때 두 분이 나눈 대화가 기억에 남아요. 친구 정심의 죽음이 결국에 옥분으로 하여금 위안부라는 정체성을 세상에 천명하게끔 결심을 하게 하는 결정적 상황이 됐는데, 그 점이 참 가슴에 와 닿아서, 손숙 선생님처럼 큰 분의 역할이 이런 것이겠구나, 싶었어요. 정말 잠깐이었는데 강렬한 인상을 확실히 심어주었으니까요. 그리고 주변 조연 및 단역들도 좋은 배우들이어서 연기의 합이 잘 맞았다는 느낌이 들었어요.

김: 〈아이 캔 스피크〉는 스타일리시한 영화가 아니라, 배우들 믿고 가자라는 생각이었어요. 믿을 게 배우밖에 없었어요. 진실하게, 장난치지 말고 가자라는 생각이었어요. 남배우들도 있지만, 특히 여배우들이 훌륭해요. 금주 역의 김소진, 진주댁 염혜란, 아영 역 정연주, 혜정 역 이상희 등 이런 친구들은 다 독립 영화에서 눈여겨봤던 친구들이었는데, 이 훌륭한 배우들이 한자리에 모일 수 있었다는 것이 좋았어요. 우리나라 영화, 조연 남자 배우들

정말 잘 나가잖아요? 김의성, 배성우 등등 다 훌륭한 배우들이고요. 반면 훌륭한 여배우들도 많은데 여배우들의 쓰임새가 적잖아요, 남자 배우들에 비해. 그래서 그 여배우들과 같이 작품하면서 되게 행복했어요.

전: 저는, 연출가로서 그런 의식적인 노력들이 중요하다고 여기는 부류죠. 영화를 보면 제일 나쁜 감독이 자기만 살고 연기자들은 죽이는 감독이죠. 누구라고 말하진 않겠어요. 잘나가는 감독들, 세계적인 감독들 중에서 자기만 살고 배우는 하나도 살리지 못하거나 않는 감독들이 있어요. 일찍이 〈너는 내 운명〉(2005)의 박진표 감독이 그랬죠 제게. "선배님, 감독인 저는 아무래도 상관없어요. 황정민, 전도연 연기자들 팍팍 좀 밀어 주세요!"라고. 전도연이 그해 영평상 여우주연상 받았는데, 그때 박진표 감독의 그 말을 들으면서 위와 같은 생각을 갖게 된 거죠. 저는 영화를 볼 때 감독들이 배우들의 장점을 얼마나 극대화시키고, 어떻게 살려주는가를 유심히 보는 편이죠. 무명이었던 배우들을 스포트라이트 받게 해 주인공으로 만들어주는 게 중요하다고 생각하죠. 〈범죄도시〉에서 2017 청룡영화상 남우조연상을 안은 진선규 그 친구, 감동적 수상 소감으로 존재감을 확실히 각인시켰잖아요. 〈암살〉(2015)의 최덕문이라는 배우도 그렇고요. 전 영화평론가이건만 최덕문이란 이름을 〈암살〉을 통해 비로소 기억하게 됐죠. 한국영화가 그 동안 고생한 배우들을 주인공을 만들어주는 등 중요한 역할을 하고 있어요. 빈익빈 부익부, 독과점 등으로 인해 한국영화가 목하 이러저런 욕을 많이 먹고는 있으나, 다른 분야에서 하지 못하는 순기능을 하고 있는 거죠. 멀티캐스팅을 통해 예전에는 관심을 끌지 못했던 배우들도 주연 자리에 오르곤 하죠. 감독으로서 그런 기능을 의식하며, 여배우들에게 좀 더 좋은 비중을 두는 행보를 걷는 것은 굉장히 중요한 작업일 거예요. 제2의, 제3의 나문희가 나오지 말라는 법 없지 않겠어요? 그런 영화들이 좀 더 많이 나와 주면 좋겠다는 생각이 들어요.

〈쎄시봉〉에 대해

전: 이제 〈쎄시봉〉으로 넘어가볼까요? 〈쎄시봉〉은 개인적으로 꽤 흥미롭고 좋은 영화로 다가왔어요. 상대적으로 영화가 불러일으킨 화제에 비해 그러나, 200만을 넘지 못하고 170만을 갓 넘는데 그쳤지요. 2015년 2월에 개봉됐는데, 그 화제작의 흥행이 상대적으로 덜 된 이유가 무엇일까 계속 궁금했어요. 뭔가 영화적 문제일까요? 저는 개봉 당시 보지 못해 이번 인터뷰에 맞춰 봤는데, 꽤 재밌게 봤어요. 플롯에서 〈아이 캔 스피크〉와 흡사한데, 앞서 초반에 말했던 투 파트 구성이, 어느 지점에서 갑자기 분위기가 급반전되는 2부적 구성이 흥행에 악재가 되지 않았을까, 생각을 했어요. 〈아이 캔 스피크〉의 경우는 같은 시간대의 연속적 사건인데 반해, 〈쎄시봉〉은 20년의 시차를 두고 벌어지잖아요. 한국 관객들은 쭉 이어지는 플롯이 아닌 에피소드 구성의 스토리를 싫어하거든요. 〈내 생애 가장 아름다운 일주일〉(2005) 같은 특별한 경우를 제외하고는 에피소드 형 플롯 영화들은 잘 안 돼왔죠. 〈쎄시봉〉을 만든 주된 이유가 그 20년 뒤의 순애보였을지언정, 아예 복고 분위기로 60년대 말과 70년대 초로 이어지는 시대적 흐름을 이용해서 과거의 이야기로 계속 갔더라면 더 좋지 않았을까, 싶더군요. 그야말로 '쎄시봉'에 초점을 맞춰 갔으면 훨씬 더 좋은 결과가 나오지 않았을까, 싶은 거죠. 그나저나 코믹 순애보는 본인의 떨칠 수 없는 욕망인가요? 왜 순애보에 방점을 찍었을까, 하는 아쉬움이 들었거든요.

김: 〈쎄시봉〉 제작자가 명필름에 있던 사람인데, 바로 〈1987〉 제작자예요. 그 제작자와 술 마시다 '쎄시봉'을 해보자는 얘기가 나왔고, 가장 먼저 떠올린 것이 순애보 부분이었어요. 개봉하고 나서 20대 얘기가 재밌는데 왜 갑자기 40대의 김윤석 캐릭터가 나와 후일담을 얘기하느냐 말이 나오긴 했으나, 기획 단계로 가면 출발이 그 후일담이었기에, 쎄시봉 당시를 재현하

는 창작적인 의욕이 별로 안 났어요. 그 분들에 대해 자서전 에세이 식의 새로운 해석을 하고 싶었어요. 제3의 멤버가 실존인물이긴 하나 그렇다고 그분에 대한 얘기는 아니거든요. 3년 전 개봉 당시에는 객관화가 덜 됐었는데, 이제는 알 수 있을 거 같아요. 김윤석, 김희애가 되게 조금 나오잖아요. 그때 당시에 김윤석이 어울리느냐, 왜 교차편집을 안 했느냐 등의 의문이 있었는데, 김윤석과 어울리느냐는 별개로 하고 교차편집을 안했던 것은 〈써니〉(2011)와 〈건축학개론〉(2013)이 있었던 터라, 창작자로서 교차편집은 애초에 피하고 싶었어요. 제작자, 투자사, 배급사 등 우리 내부에서도 객관화가 안 되었던 거죠. 지금 생각해보면 교차편집이 있었으면 이물감이 다소나마 보완이 되었을 거라고 생각해요. 순애보는 제가 좋아서 한 거라…

전: 아까 말했듯 영화는 타이밍이죠. 2015년에 천만 영화가 〈암살〉, 〈베테랑〉 두 편 나왔고, 그해 12월에 나온 영화가 〈내부자들〉이예요. 〈내부자들〉을 정점으로 2016년부터 한국영화의 분위기가 바뀌는데, 정확하게는 한국영화 관객들의 영화보기 성향이 바뀌죠. 만약 2016년이나 2017년에 〈쎄시봉〉이 개봉됐더라면, 300만에서 500만까지 충분히 갔을 텐데, 2015년은 멜로나 코믹이 영 먹히지 않는 해였죠. 2015년 그때는 그런 식의 말랑말랑한 이야기가 아니라 시대적인 메시지를 재미나게 풀어주는 영화들이 흥행했어요. 만약 지금 〈내부자들〉이 선보인다면, 300만도 못 넘을 거예요. 너무 부담스러워서. 2016년 이후 〈공조〉, 〈럭키〉, 〈청년경찰〉, 〈범죄도시〉 등의 영화가 잘 됐는데, 그 영화들이 2016년 이전에 선보였더라면 잘 안 됐을 거예요. 〈1987〉이 2015년 12월 이전에 개봉했으면 훨씬 더 잘 돼 아마 천만 고지를 넘지 않았을까, 싶고요. 이 땅의 대중 관객들이 이제 〈내부자들〉처럼 센 영화를 보는 게 너무 힘든 거예요. 그런 분위기 탓에 500만 선은 돌파했지만, 〈더 킹〉도 상대적으로 덜 됐다는 게 제 판단이예요. 〈아수라〉는 김성수 감독

이 흥행은 아예 포기하고 말 그대로 아수라처럼 마음대로 찍은 영화고요. 출연한 모든 캐릭터들이 다 막판에 죽는 영화는 제 경험상 〈아수라〉가 유일해요. 그 동안 살아오면서 몇 편의 영화들을 봤는지는 모르나, 만약 제가 1만 편 내지 2만 편을 봤다고 해도, 〈아수라〉 같은 영화는 없었어요. 따라서 큰 흥행은 애당초 무리인 영화였죠. 〈더 킹〉이나 〈아수라〉 같은 영화들이 상대적으로 잘 안 되면서, 비교적 가벼운 영화들이 더 잘 된 거라고 볼 수 있죠.

〈쎄시봉〉에서는 윤형주, 송창식, 이장희 같은 실제 인물들을 활용하지 않아요. 물론 그러기 힘든 분들이고요. 만약 기획적으로 할 수만 있다면, 저는 〈쎄시봉〉을 한 번 더 만들어보고 싶어요. 너무 아까워요. 복고 분위기가 굉장히 재밌는데, 20년 뒤로 넘어가면서 다른 영화와 비슷해지는 게 안타까워요. 연기는 대체로 잘들 했어요. 송창식은 대체불가라, 조복래가 못한 게 아니라 불가능한 캐릭터를 연기한 거죠. 조복래가 제 아무리 노래를 잘 불러봤자 송창식 노래의 맛을 낼 수 있겠어요? 조복래가 부르는 것과 송창식이 부르는 것 사이의 간극이 너무 크죠. 강하늘과 윤형주는 잘 어울려요. 한효주도 매혹적이예요. 개인적으로는 〈쎄시봉〉에서만큼 매력적인 걸 기억하지 못할 정도예요. 〈해어화〉(2016)에서보다 훨씬 더 좋았어요. 그녀가 비록 메인이 아니라도 정말 돋보였어요. 잠깐 나왔지만 김희애도 매력을 넘어, 압도적이었어요. 헌데 김윤석은 그다지 매력적이지 않더군요. 김윤석이 핵심이건만요. 그런 것들이 맞물리면서, 실패라고 볼 수는 없지만, 영화가 당시의 분위기를 충분히 살리지 못했다는 아쉬움이 있어요. 영화를 보면서 놀란 것은 기술력 특히 CG가 뛰어나서 그런지, 세트가 기가 막히던데 어디서 찍은 것인지요?

김: 대전에서 세트 짓고 촬영했어요.

전: 오근태 캐릭터는 실존 인물을 극화한 것인가요? 아니면 새롭게 만든 가상 인물인가요?

김: 실제로 제3의 멤버가 있긴 하나 오해하지 말라고 영화에 자막을 넣은 거고요. 실제 삶은 다르고, 다 허구죠. 실제 인물은 아주 짧게 활동하다가 군대 가면서 끝났어요.

전: 드라마의 반전은 흥미로웠어요. 여자를 살리기 위해서 친구들을 배신했다는 설정이. 평론가로서 비판을 하자면, 후반부 순애보가 목적이었다면 극적 드라마를 확실히 더 부각시키면서 전반부를 확 줄이든가 했어야 했는데, 영화 제목이 '쎄시봉'이니 그럴 수도 없고 전반부를 살리지 않을 수 없는데 마음은 순애보니, 그로 인한 불일치 탓에 관객과의 교감이 덜 된 게 아닌가, 싶어요. 영화를 만들고 개봉할 당시 '쎄시봉'이 워낙 핫해 그 분위기가 영화로 이어질 걸로 예상했지만, 그렇지 않아 당황하기도 했죠. 만약에 영화에 손을 대게 된다면 손을 볼 건지요? 아니면 지금 그대로 갈 겁니까?

김: 교차 편집은 해볼 것 같아요.

전: 아까우니까 시도 한번 해보시죠. 저보다 다들 선배지만 송창식의 「사랑이야」는 한때 제가 노래방에서 즐겨 부르곤 했던 노래죠. 저는 송창식을 좋아했고, 윤형주는 별로였어요. 엄친아는 그다지 좋아하질 않거든요 지금도요. 한효주가 분한 민자영이라는 이름은, 명성황후의 이름과 같은데 그 이름은 어디서 비롯된 것인가요?

김: 모델은 윤여정 선생님이에요. 실제로 윤여정 선생님을 다 좋아했다고 해요. 윤선생님에게 자문도 받았고 이름을 써도 좋다는 허락도 받았어요. 민

자영이라는 이름이 느낌이 좋았고, 명성왕후 이름도 실제로 그 당시 되게 자주적인 느낌이 있잖아요.

전: 감독은 이장호 감독으로 해석이 되는데, 이장호 감독이 모델 아닌가요?

김: 그런 생각은 못 해봤는데, 이장호 감독과 많이 어울리신 것 같네요.

전: 그 때 그런 분은 이장호 감독밖에 없었어요. 의식을 했든 안 했든 이장호 감독 이야기일 거예요. 당시 그렇게 큰 성공을 거둔 감독은 이장호 감독밖에 없었어요. 물론 다소의 시차는 있을 수 있지만요. 그래 영화를 보며 이장호 감독 이야기구나 했는데 의식을 한 건 아니네요. 개인적으로 또 아쉬웠던 건 이장희를 시종 주변 인물로 놔뒀다는 거예요. 이장희에게 극 중에서 「나 그대에게 모두 드리리」나 「그건 너」 같은 곡들을 직접 부르게 하거나 하면서 그 캐릭터를 보다 더 적극적으로 활용을 했더라면, 더 재밌지 않았을까요? 의식적으로 그런 건지요? 아니면 아예 그런 생각은 하지 않은 건지요?

김: 이장희 캐릭터가 화자잖아요. 실제 인물 중에서는 이장희가 가장 비중이 크죠. 실제로 그 분들을 보면 다들 개성이 강하세요. 이장희 선생님이 보스 같고, 송창식은 존 레논, 윤형주는 폴 메카트니 같아요. 김세환은 후기 멤버고. 저는 정작 '쎄시봉' 캐릭터가 영화에서 주연이 돼선 안 된다고 생각했어요.

전: 이장희 캐릭터가 화자로 나오긴 하나, 두 노래가 어차피 나오니까 드라마로 녹였더라면 훨씬 더 좋지 않았을까, 싶은 거죠. 영화 후반부에 오근

태가 미국에서 이장희를 만나, 이장희가 진행하는 라디오 프로그램에 출연했을 때 이장희가 "내가 불러 히트시킨 노래들"이라고 말하는 대사가 나오잖아요. 그러니 그 노래들을 이장희가 부르는 장면이 들어가 있다면 한층 더 극적 효과가 컸으리라는 거죠. 그리고 다큐는 아니더라도, 실제 쎄시봉 멤버들이 노래하는 장면도 한두 컷 정도는 넣을 수 있지 않았을까 싶은데, 허락을 못 받은 건지요?

김: 실제로 남아 있는 자료가 거의 없어요. 사진 자료도 몇 컷 없어요. 쓸 생각이 없었던 게 아니라 실제로 쎄시봉이 어떻게 생겼는지도 나와 있는 게 거의 없어요. 전경도 없고, 몇 컷 남아 있는 것을 추정해서 만들어낸 거죠. 실제보다 좀 더 크게 찍긴 했는데, 정말 남아 있는 게 별로 없더라고요.

전: 윤형주–송창식 두 사람의 사이가 좋지 않아서 남기고 싶지 않았던 것 아닐까요. 송창식이 등장했을 때의 놀라움을 직접 체험한 사람으로서 하는 말인데, 이 영화의 상대적으로 흥행에 부진했던 가장 큰 이유는 송창식 변수 때문이라고 봐요. 송창식은 말했듯 대체불가 캐릭터이기 때문에, 어떤 누가 연기해도 무리라는 거죠. 거기서 오는 실망감까지는 아니어도, 그 대체불가성이 영화에 대한 관심을 상대적으로 덜 불러일으킨 게 아니었을까, 그렇게 생각해요. 영화에서 제일 아쉬웠던 점이었는데, 어쩔 수 없지 않았나, 싶어요.

김: 송창식 선생님이 자기 노래에 대한 자부심이 워낙 커서, 조복래더러 "너 어차피 나 따라 해도 못 따라오니까, 하고 싶은 대로 해라"고 하셨지요.
전: 한국 대중문화에 천재는 많이 있지만 송창식 같은 천재는 없었죠. 그 이후에 서태지 등이 나왔으나, 송창식은 그야말로 대체불가였죠. 그것이 가

장 큰 걸림돌이었을 거예요. 뭘 해보려고 해도 자료가 없다는 것은, 정말 아쉽네요.

김: 자료 화면은 컷으로 쳐도 10컷이 안 돼요. '쎄시봉' 관련 책들이 몇 권 나왔으나, 쓰인 사진들이 많이 겹치죠. 그만큼 자료들이 부족한 거죠.

전: 사실 전 송창식 같은 분에게 그 분 삶의 일부나마 영화화되는 것을 허락받은 건 대단한 성취라고 봐요. 영화계에서 가수들 이야기를 영화로 만들고 싶어 하는 인물이 몇몇 있는데, 김추자, 나미 등이죠. 개인적으로도 그분들 이야기라면 영화로 기획하고 싶고요. 하지만 그 분들이 영화화를 허락해주지 않는 걸로 알고 있어요. 그런 의미에서 송창식 이야기는 유의미한 성과라고 할 수 있어요. 그렇기에 〈쎄시봉〉의 상대적 흥행 부진이 계속 아쉬워요. 정말이지 위대한 한국 음악인의 삶이, 비록 단독 주연은 아니더라도, 그 정도 밖에 흥행되지 않은 데 대한 안타까움이 있는 거죠. 〈쎄시봉〉이 한 계기가 되어 한국 대중문화 아티스트들을 극화한 영화들이 나오는데 영화가 기여하기를 바라고 있기도 하고요. 저는 그런 쪽에 관심이 많죠. 혹시 나중에 김감독이 그런 도전을 또 하게 된다면, "〈쎄시봉〉 감독이라고? OK!", 그럴 수도 있잖겠어요.

이제 마무리해야겠네요. 〈아이 캔 스피크〉와 〈쎄시봉〉을 중심으로 2시간 가량에 걸쳐 대담을 나눴는데, 그 동안의 인터뷰와 마찬가지로 큰 배움과 자극을 받은 유익한 시간이었습니다. 고맙습니다.

김: 감사합니다.

【 '작가'가 선정한 오늘의 영화 】 시리즈

2006 '작가'가 선정한 **오늘의 영화** _ 2006 이준익 감독 〈왕의 남자〉外

기획위원 / 강유정 김서영 강태규   신국판 / 값 9,500원

2007 '작가'가 선정한 **오늘의 영화** _ 2007 김태용 감독 〈가족의 탄생〉外

기획위원 / 강유정 이상용 황진미   신국판 / 값 9,500원

2008 '작가'가 선정한 **오늘의 영화** _ 2008 이창동 감독 〈밀양〉外

기획위원 / 유지나 강태규 설규주   신국판 / 값 10,000원

2009 '작가'가 선정한 **오늘의 영화** _ 2009 장훈 감독 〈영화는 영화다〉外

기획위원 / 유지나 전찬일 강태규   신국판 / 값 10,000원

2010 '작가'가 선정한 **오늘의 영화** _ 2010 봉준호 감독 〈마더〉外

기획위원 / 유지나 전찬일 강태규   신국판 / 값 10,000원

2011 '작가'가 선정한 **오늘의 영화** _ 2011 이창동 감독 〈시〉外

기획위원 / 유지나 전찬일 강태규   신국판 / 값 12,000원

2012 '작가'가 선정한 **오늘의 영화** _ 2012 이한 감독 〈완득이〉外

기획위원 / 유지나 전찬일 강태규   신국판 / 값 12,000원

2013 '작가'가 선정한 **오늘의 영화** _ 2013 윤종빈 감독
〈범죄와의 전쟁 : 나쁜 놈들 전성시대〉外

기획위원 / 유지나 전찬일 강유정 신국판 / 값 12,000원

2014 '작가'가 선정한 오늘의 영화 _ 2014 봉준호 감독 〈설국열차〉 外

기획위원 / 유지나 전찬일 강유정 신국판 / 값 12,000원

2015 '작가'가 선정한 오늘의 영화 _ 2015 김한민 감독 〈명량〉 外

기획위원 / 전찬일 홍용희 이재복 강태규 손정순 신국판 / 값 14,000원

2016 '작가'가 선정한 오늘의 영화 _ 2016 류승완 감독 〈베테랑〉 外

기획위원 / 유지나 전찬일 이재복 강태규 손정순 신국판 / 값 14,000원

2017 '작가'가 선정한 오늘의 영화 _ 2017 이준익 감독 〈동주〉 外

기획위원 / 유지나 전찬일 손정순 신국판 / 값 14,000원

2018 '작가'가 선정한 오늘의 영화 _ 2018 김현석 감독 〈아이 캔 스피크〉 外

기획위원 / 유지나 전찬일 손정순 신국판 / 값 14,000원

【 '작가'가 선정한 오늘의 시 】 시리즈

2002 '작가'가 선정한 **오늘의 시&시조** _ 고두현 「귀로」 外
기획위원 / 이우걸 장경렬 이경철 유성호 홍용희 김춘식 신국판 / 값 7,000원

2003 '작가'가 선정한 **오늘의 시** _ 신경림 「낙타」 外
기획위원 / 이지엽 맹문재 오형엽 신국판 / 값 8,000원

2004 '작가'가 선정한 **오늘의 시** _ 문태준 「맨발」 外
기획위원 / 문혜원 맹문재 유성호 신국판 / 값 8,000원

2005 '작가'가 선정한 **오늘의 시** _ 문태준 「가재미」 外
기획위원 / 문혜원 맹문재 유성호 신국판 / 값 8,000원

2006 '작가'가 선정한 **오늘의 시** _ 송찬호 「만년필」 外
기획위원 / 유성호 박수연 김수이 신국판 / 값 9,500원

2007 '작가'가 선정한 **오늘의 시** _ 김신용 「도장골 시편—넝쿨의 힘」 外
기획위원 / 유성호 박수연 김수이 신국판 / 값 10,000원

2008 '작가'가 선정한 **오늘의 시** _ 김경주 「무릎의 문양」 外
기획위원 / 이형권 유성호 오형엽 신국판 / 값 10,000원

2009 '작가'가 선정한 **오늘의 시** _ 송재학 「늪의 內簡體를 얻다」 外
기획위원 / 이형권 유성호 오형엽 신국판 / 값 10,000원

2010 '작가'가 선정한 **오늘의 시** _ 진은영 「오래된 이야기」 外
기획위원 / 유성호 홍용희 이경수 신국판 / 값 10,000원

2011 '작가'가 선정한 **오늘의 시** _ 심보선 「나라는 말」 外
기획위원 / 유성호 홍용희 함돈균   신국판 / 값 12,000원

2012 '작가'가 선정한 **오늘의 시** _ 안도현 「일기」 外
기획위원 / 유성호 홍용희 함돈균   신국판 / 값 12,000원

2013 '작가'가 선정한 **오늘의 시** _ 공광규 「담장을 허물다」 外
기획위원 / 유성호 홍용희 함돈균   신국판 / 값 12,000원

2014 '작가'가 선정한 **오늘의 시** _ 이원 「애플 스토어」 外
기획위원 / 유성호 홍용희 함돈균   신국판 / 값 12,000원

2015 '작가'가 선정한 **오늘의 시** _ 유홍준 「유골」 外
기획위원 / 유성호 홍용희 함돈균   신국판 / 값 14,000원

2016 '작가'가 선정한 **오늘의 시** _ 박형준 「칠백만원」 外
기획위원 / 유성호 홍용희 함돈균   신국판 / 값 14,000원

2017 '작가'가 선정한 **오늘의 시** _ 나희덕 「종이감옥」 外
기획위원 / 유성호 홍용희 나민애   신국판 / 값 14,000원

2018 '작가'가 선정한 **오늘의 시** _ 신철규 「심장보다 높이」 外
기획위원 / 유성호 홍용희 함돈균   신국판 / 값 14,000원

이 도서의 국립중앙도서관 출판시도서목록(CIP)은 e-CIP 홈페이지
(http://www.nl.go.kr/ecip)에서 이용하실 수 있습니다.
(CIP 제어번호 : CIP2018009199)

2018 '작가'가 선정한 오늘의 영화

2018년 6월 29일 판 1쇄 인쇄
2018년 7월 6일 판 1쇄 발행

지은이 | 유지나 전찬일 김현석 외
펴낸이 | 孫貞順
펴낸곳 | 도서출판 작가
　　　　서울 서대문구 북아현로89 버금랑빌딩 2층(03761)
　　　　전화 | 365-8111~2 팩스 | 365-8110
　　　　이메일 | morebook@morebook.co.kr
　　　　홈페이지 | www.morebook.co.kr
　　　　등록번호 | 제13-630호(2000. 2. 9.)

기획위원 | 유지나 전찬일 손정순
편집 | 손희, 박계현, 설재원
디자인 | 오경은, 전경아
영업 · 관리 | 이용승

ISBN 978-89-94815-78-7 (93680)

잘못된 책은 구입하신 서점에서 바꾸어 드립니다.
지은이와 협의하에 인지를 붙이지 습니다.

값 14,000원